DRYCHWEL

Drychwll

Siân Llywelyn

Argraffiad cyntaf: 2020
ⓗ testun: Siân Llywelyn 2020

Rhif Llyfr Safonol Rhyngwladol:
978-1-84527-743-7

CYNGOR LLYFRAU CYMRU

Cyhoeddwyd gyda chymorth Cyngor Llyfrau Cymru

Cynllun y clawr: Siôn Ilar

Cyhoeddwyd gan Wasg Carreg Gwalch,
12 Iard yr Orsaf, Llanrwst, Dyffryn Conwy, Cymru LL26 0EH.
Ffôn: 01492 642031
e-bost: llyfrau@carreg-gwalch.cymru
lle ar y we: www.carreg-gwalch.cymru

Argraffwyd a chyhoeddwyd yng Nghymru

I Nel Mair a Nanw Siân

Diolch arbennig i Hafwen, fy ffrind bore oes,
am yr hwb cychwynnol.

A glywi di'r tabwrdd yn curo?
Yn curo, yn curo'n ddi-baid?
Ai tabwrdd a glywi di'n curo
Nes troi dy fodolaeth yn llaid?

Fe'th ddwynwyd i fyd y rhai rheibus,
I'th reibio'n ddi-baid â phob traw.
Ymosod a wnânt yn eu hyrddiau,
Achubiaeth sydd heb fod gerllaw.

Sawl ergyd a glywi di'n taro,
A chwyrlïo nes mynd â dy go',
Dy rinwedd, dy feddwl, dy enaid –
Pob tamaid o'th fod yn eu tro?

Pa rym sydd i dabwrdd y Drychwll
Sy'n pwyso dy feddwl a'th glyw?
Ei drachwant yw meddu dy enaid;
Ar reibio dy enaid mae'n byw.

Arwwwwwwwwwyyyyyyyyyyyyyyyyn !
Seraaaaaaaaaaaaaaaaaaaaaaaaaa!
Seimooooooooooooooooooooooooon!

Heddiw

Dydd Sadwrn, Hydref 31

Caerfai. Tref fach yng ngogledd Cymru sy'n gartref i tua dwy fil o bobol. Yn nhopiau'r dref, ar y cyrion, mae Trem yr Ywen: stryd o dai teras digon di-nod, a di-raen. Cynhaliodd y rhesaid hon o chwe thŷ fywydau digon gwaraidd am ddegawdau, tan nawdegau'r ganrif ddiwethaf. Yna, fesul un, bu farw'r hen drigolion. Doedd gan eu hetifeddion ddim diddordeb mewn dod yno i fyw, ac wrth i damprwydd gerdded drwy'r waliau, ac wrth i gymdeithasau tai sodro teuluoedd trafferthus o Firmingham yno un ar ôl y llall, dirywiodd yr hen Drem yr Ywen. Trodd cyfarchiadau twymgalon y trigolion yn ddim ond ebychiadau anghymdeithasol, a hynny ar ddiwrnod da. *Cliché* o stryd chwarel yng Nghymru yw hon erbyn hyn.

Mae un peth unigryw i'r stryd, sef y goeden a roddodd ei henw iddi. Clamp o ywen mewn gwth o oedran mewn cae gyferbyn â'r tai, yn ddigon agos i fwrw'i chysgod drostynt. Wrth i fywyd yn y tai grebachu, daliodd yr hen ywen ei thir.

Rhif 6 Trem yr Ywen oedd y tŷ agosaf ati, ar ben y rhes. Er ei fod bellach yn wag gwelodd ei furiau fwy nag un trychineb ... ac yno, ar ddiwrnod olaf mis Hydref, mae'r tresmaswyr a dorrodd i mewn iddo'n wynebu perygl mawr.

* * *

Roedd coesau Mabli yn gwegian. Safai ar ben y landin yn y tŷ teras gwag â dim ond ei dewrder yn ei chynnal. Yn ei dwylo crynedig daliai gas pren, crwn yn mesur tua throedfedd ar draws – roedd ar gau ond roedd Mabli yn barod i'w agor pan ddeuai'r eiliad dyngedfennol. Edrychodd arno, a gweld ôl ei bysedd chwyslyd ar y pren tywyll.

Safai gyferbyn â drws agored y llofft ffrynt lle gallai weld drych mawr, hirgrwn. Allai hi ddim gweld fawr ddim heblaw'r ffrâm loywddu gan fod yr ywen yn taflu ei chysgod dros y ffenestr.

Ar waelod y grisiau, safai'r cyfaill rhyfeddaf i Mabli ei gyfarfod erioed, er nad oedd yn ei nabod o gwbwl mewn gwirionedd. Yn ei ddwylo roedd cas crwn, pren, yn union yr un fath â'r un oedd gan Mabli. Edrychodd ei chyfaill arni.

'Barod?' gofynnodd.

Oedd hi? Wyddai hi ddim. Arweiniodd y cyfan o'r pythefnos ddiwethaf at yr eiliad hon. Roedd hi mor barod ag y byddai hi byth.

'Barod,' mentrodd Mabli, gan geisio llyncu poer nad oedd yno i'w lyncu.

Dyma ni. Caeodd Mabli ei llygaid. Anadlodd yn ddwfn.

Dydd Gwener, Hydref 30

Pasiodd car, ac yna un arall. Un arall ac un arall ac un arall. Cerddodd merch a dyn ifanc yn frysiog heibio ffenestr y caffi rhag cael eu dal yn y gawod a oedd ar fin gwlychu'r dref, ond welodd Mabli mo'r bobol na'r ceir. Eisteddai wrth un o'r byrddau yn y caffi a'i phen yn gorffwys yn erbyn gwydr oer y ffenestr. Roedd ei llygaid wedi'u hoelio ar deils y palmant; teils brown, anniddorol. Nid astudio'r pafin roedd Mabli mewn gwirionedd ond syllu drwyddo, nes bod ei threm yn cyrraedd uffern ei hun. Llosgai ei llygaid fel petaent ar dân, a rhwbiodd nhw â'i bys a'i bawd.

Cerddodd corff talsyth, llydan Baltws Cardrona tuag ati oddi wrth gownter y caffi, yn cario hambwrdd a dwy baned arno. Wnaeth yr un ohonynt sylwi ar Glenda Wyn, perchennog y caffi, tan iddi siarad.

'Mabli?'

Trodd y ddau i'w hwynebu.

'Wyt ti'n teimlo'n well, 'mach i?'

Cododd Baltws ei ael gan edrych ar Mabli, a eisteddai'n syllu ar Glenda fel het, ond ddywedodd hi ddim byd.

'Dwi'n falch o dy weld di o gwmpas y lle eto – mi ddychrynist ti ni braidd ddydd Sul, wrth golapsio fel'na.'

Dydd Sul. Teimlai Dydd Sul fel misoedd yn ôl i Mabli yn hytrach na phum niwrnod. Llwyddodd i wthio gwên ffals i gorneli ei gwefusau, ond doedd hi ddim yn ddigon i argyhoeddi Glenda, oedd yn adnabod Mabli ers iddi ei chyflogi yn y caffi pan oedd yn ferch ysgol. Culhaodd llygaid Glenda, a phwysodd ymlaen i gyfarch Mabli'n ddistaw gan wneud yn siŵr fod Baltws yn ei chlywed.

'Cofia di ddŵad ata i os wyt ti isio rwbath.'

'Diolch, Glenda. Dwi'n well rŵan.'

Cyn troi oddi wrthynt, taflodd Glenda gipolwg amheus ar Baltws ac aeth yn ôl at ei gwaith o redeg y caffi. Tynnodd Baltws gadair allan ac eistedd arni.

'Colapsio?' gofynnodd wrth eistedd. Ond doedd gan Mabli ddim amynedd egluro, gan ei bod yn ysu i gael clywed yr hyn oedd ganddo fo i'w ddweud. Hwn, y dyn y daeth i'w adnabod ers iddi golli ei ffrindiau. Wyddai Mabli ddim o ble y daethai Baltws, a doedd hi ddim am ofyn chwaith, gan nad oedd yn siŵr a allai dderbyn yr ateb.

Edrychodd arno'n ofalus, gan astudio'i wyneb golygus bob yn ail ag agor a chau ei llygaid i geisio'u ffocysu'n iawn arno. Bron nad oedd hi'n gweld dau ohono. Doedd hi ddim wedi cysgu'n iawn ers pythefnos – roedd digwyddiadau'r dyddiau blaenorol yn ddryswch yn ei phen, a sut yn y byd roedd disgwyl iddi gysgu'n iawn pan oedd tri o'i ffrindiau pennaf wedi diflannu heb esboniad mewn cyfnod mor fyr?

'Wel,' meddai Baltws gan na chafodd ateb, 'da iawn chdi am ddeud dy fod ti'n teimlo'n well, neu yn fama fysa hi, yn syllu arna i fel gwylan isio dwyn 'y mrechdan i.'

Rhwbiodd Mabli ei llygaid eto. Fel arfer, pan fyddai'n eistedd wrth y ffenestr byddai'n ceisio taro cipolwg ar ei hadlewyrchiad ynddi bob yn hyn a hyn er mwyn gwneud yn siŵr bod ei gwallt euraid yn union fel yr oedd o i fod, a'i cholur yn berffaith. Feiddiai hi ddim edrych heddiw.

Sut oedd pethau wedi dod i hyn? Bythefnos yn ôl roedd ei bywyd yn braf. Roedd hi'n newyddiadurwraig frwdfrydig yn mwynhau pob diwrnod o'i gwaith ar y papur newydd lleol, yn cael ei mentora gan Arwyn, y golygydd profiadol. Bythefnos yn ôl roedd hi'n brydferth ac yn arddangos ei steil arferol. Bythefnos yn ôl roedd yn mwynhau cymdeithasu efo'i ffrind gorau, Sera, a fflyrtio efo'i chyd-weithiwr carismataidd, Seimon.

Bythefnos yn ôl roedd hi'n hi ei hun, a phopeth fel y dylai fod.

Roedd Baltws wedi sylwi ar y cysgodion tywyll o dan ei llygaid hefyd, ac wedi sylwi bod yr wyneb dol a'r hunanhyder wedi hen ddiflannu.

Cofiodd y tro cyntaf iddo ddod ar ei thraws – roedd hi wedi'i gwisgo'n drwsiadus mewn trowsus smart hyd at ei fferau, esgidiau sodlau du a gwyn a siwmper ysgafn at ei chanol main. Llond pen o gyrls melyn a'i llygaid mawr wedi cael eu coluro'n berffaith i fod yn wrthgyferbyniad i'w chroen porslen. Oedd, roedd hi chydig yn flêr ac yn fudr erbyn iddo ei chyfarfod, ond yn drawiadol er hynny.

Bu Baltws yn dyst i'w thrawsnewidiad. Gwyddai beth oedd am ddigwydd iddi, hyd yn oed, o'r eiliad y bu iddo ei chyfarfod, ond roedd o'n rhy hwyr i'w rhybuddio, ac allai o wneud dim ond bod yno'n gefn iddi. Fyddai o byth yn teimlo trueni dros y rhai yr oedd o'n eu helpu fel arfer, ond roedd Mabli'n wahanol. Roedd hi wedi cael ei hun mewn sefyllfa gwbwl amhosibl a hynny'n gwbwl ddamweiniol. Ei le o oedd ei helpu i ffeindio normalrwydd eto, a dad-wneud yr hyn a ddigwyddodd dros y pythefnos cynt. Rywsut.

Tu ôl i'r cownter, roedd Glenda Wyn hefyd yn ystyried yr olwg anarferol o ddrwg oedd ar Mabli. Er nad oedd y ddwy yn perthyn teimlai Glenda fel rhyw fath o fodryb iddi – rhoddodd swydd iddi yn y caffi cyn iddi fynd i'r coleg, a chadwodd lygad ar y ferch ifanc ar ôl iddi ddod yn ôl i'r dref i weithio.

Beth ar wyneb y ddaear oedd wedi digwydd iddi? Petai tad Mabli'n fyw mi fyddai'n gwaredu wrth ei gweld. Roedd tair blynedd ers i Mabli ei golli, a byddai gweld cannwyll ei lygad yn y ffasiwn stad yn ei boeni'n ddifrifol.

Cofiai Glenda'r ddau yn cyrraedd y dref tua 2012, pan roedd Mabli'n un ar bymtheg oed. Daeth hi'n boblogaidd yn gyflym iawn a chael ei hun yn rhan o griw y chweched dosbarth a ddeuai i'r caffi i dreulio'u hamseroedd cinio a'u penwythnosau. Roedd hi'n llawn cymeriad heb fynnu sylw ac yn ffraeth heb orfod bod yn sbeitlyd. Dechreuodd ambell un o'r merched eiddigeddus ei barnu am feddwl ei hun ychydig bach gormod, ond chymerai Mabli ddim sylw ohonyn nhw. Roedd hi'n sicr o gefnogaeth ei ffrindiau a'i thad, oedd wedi ei gwarchod yn ofalus byth ers iddi golli'i mam yn ferch fach.

Yn fuan wedyn dechreuodd Mabli weithio yn y caffi ar ddyddiau Sadwrn, a rhyfeddodd Glenda at ei dawn i wneud i bob un o'r cwsmeriaid deimlo'n arbennig. A hithau hefyd yn eneth academaidd, doedd dim syndod pan gafodd radd uchel mewn Newyddiaduraeth yn y coleg, ond roedd yn rhaid i Glenda gyfaddef iddi synnu pan ddaeth Mabli yn ôl i Gaerfai i weithio i Arwyn yn y *Chronicle* yn hytrach na thrio'i lwc efo papurau Llundain, Manceinion neu Gaerdydd. Ond setlodd yn dda efo tîm y papur lleol, gan lwyddo i ennill sawl sgŵp ar gyfer y tudalennau blaen. Ac felly y bu pethau tan ryw bythefnos yn ôl – tan i'r dieithryn yma oedd efo hi heddiw ymddangos wrth ei hochr. Ers iddo fo gyrraedd roedd ymddygiad ac ymddangosiad y ferch ifanc wedi'u trawsnewid.

Sylweddolodd Glenda nad oedd wedi gweld Seimon yng nghwmni Mabli ers i'r dyn rhyfedd hwn gyrraedd. Byddai Seimon a Mabli'n dod i'r caffi bob yn hyn a hyn, ac roedd hi'n amlwg fod rhywbeth mwy rhyngddynt na pherthynas waith, ond y mwyaf sydyn – pwff! Diflannodd, a llanwyd ei sedd wrth y bwrdd gan y dieithryn deniadol oedd gyferbyn â hi.

Trawyd Glenda gan sylweddoliad. Roedd Sera, ffrind gorau Mabli, wedi bod yr un mor ddieithr dros yr wythnos ddiwethaf – tybed oedd hynny'n fwy na chyd-ddigwyddiad? Oedd, mae'n rhaid. Mabli druan. Doedd hi ddim yn haeddu cael ei bradychu fel'na gan ei chariad a'i ffrind gorau.

Ond yr hyn a bigai chwilfrydedd Glenda Wyn fwyaf oedd y dyn dieithr oedd o'i blaen. Roedd rhywbeth yn hynod, hynod o gyfarwydd yn ei gylch. Bu o gwmpas y lle o'r blaen – flynyddoedd yn ôl, efallai – ond ni allai Glenda yn ei byw â chofio pryd na'r cyd-destun.

Rhoddodd y peiriant panini wich fechan wrth ei hymyl a throdd y golau yn wyrdd arno i ddynodi fod yn rhaid iddi ganolbwyntio ar weini ar ei chwsmeriaid. Dyna'r eiliad yr ymosodwyd ar y byd gan y glaw y tu allan.

Yn fud am funud, gwrandawodd Mabli ar y dafnau trwm yn taro yn erbyn ffenestri'r caffi a'r taranau yn bygwth. Dyma hi, meddyliodd, yn eistedd mewn caffi efo dieithryn a ddaeth yn rhan o'i bywyd yn y modd mwyaf dramatig bythefnos yn ôl. Roedd hi'n dibynnu arno am ei gymorth i ddeall be goblyn oedd yn mynd ymlaen gan fod popeth yn gymaint o lanast yn ei meddwl – bron nad oedd o'n gorfod dweud wrthi sut i roi un droed o flaen y llall wrth gerdded. Gwyddai y dylai fod yn ei holi am Sera, Seimon ac Arwyn, ond allai hi ddim ffurfio'r geiriau i wneud hynny.

'Wel?' gofynnodd Mabli iddo o'r diwedd, 'be sgin ti i'w ddeud 'ta?'

'Dwi'n meddwl 'mod i'n gwbod sut mae cael dy ffrindia di i gyd yn ôl o'r tŷ 'na, Mabli, ond mae angen i ti fod yna efo fi. Fedra i mo'i wneud o fy hun. Mi fydd angen dy help di arna i, ond mae'n rhaid i ti drio cofio be ddigwyddodd yn y tŷ felltith 'na pan est ti yno'r tri thro. Mae'n *rhaid* i dy feddwl di fod yn siarp.'

Llifodd atgofion carpiog i ben Mabli. 6 Trem yr Ywen. Roedd hi wedi bod yno. Roedd Seimon, Sera ac Arwyn wedi diflannu yno. Teimlodd chwys oer yn lledu drosti – sut na allodd hi gofio dim o hyn nes i Baltws ei hatgoffa?

'Ti'n disgwyl i mi gofio petha nad oes gin i ddim co' amdanyn nhw!' meddai Mabli â thinc rhwystredig yn ei llais. 'A ti'n disgwl i mi fedru dy helpu di?'

'Yli, os oes 'na rwbath dwi wedi'i ddallt am eich isymwybod chi, fodau dynol, y ffaith ei fod o'n storio gwybodaeth yn well nag unrhyw gyfrifiadur ydi hynny.'

Gwylltiodd Mabli. 'Reit, ocê 'ta!' Ei thro hi oedd bod yn goeglyd. 'Dyma be dwi'n gofio. Siarad efo Seimon am 6 Trem yr Ywen. Seimon yn diflannu. Siarad efo Sera am 6 Trem yr Ywen. Sera'n diflannu heb na siw na miw ohoni hitha chwaith. Siarad efo Arwyn am 6 Trem yr Ywen a threfnu i fynd i'r archifdy efo fo i chwilota am hanes y lle. Arwyn yn diflannu cyn cyrraedd yr archifdy. Mynd i'r archifdy. Dy weld di yno. A rywsut, rhwng siarad efo Seimon a dy weld di yn yr archifdy, mae 'na bythefnos gyfan wedi pasio a dwi'n cofio'r nesa peth i ddim. Dyna faint o wybodaeth dwi – fodan ddynol – wedi'i storio; dim byd o werth.'

Yn ystod ei brofiad bywyd a barodd oesau'n barod, daethai Baltws ar draws miliynau o gymeriadau gwahanol a datblygodd y ddawn o benderfynu ar amrantiad pwy oedd yn ddigon cryf i oroesi'r hyn oedd o'u blaenau. Doedd dim pwrpas trio efo rhai, felly byddai'n gadael iddyn nhw fynd. Ond er bod y ferch a eisteddai o'i flaen eisoes wedi bod drwy'r felin roedd sbarc yn ei llygaid ac angerdd yn ei llais. Doedd o ddim am weld y sbarc hwnnw'n diffodd. Roedd hi'n werth ei hachub.

Er hynny, byddai'n rhaid iddi hi fod yn ei hiawn bwyll er mwyn mynd i'r tŷ drannoeth. Byddai'n rhaid i'w meddwl fod yn glir er mwyn gallu dwyn ei ffrindiau yn ôl.

Edrychodd Mabli yn heriol arno, a phenderfynodd Baltws y byddai'n rhaid iddo ei gorfodi i gofio jest digon am 6 Trem yr Ywen i'w helpu i ddifa'r melltith oedd o fewn muriau'r tŷ. Felly, fel y gwnaeth sawl gwaith yn ystod y dyddiau blaenorol, dechreuodd arni. Am ei fod yn gwybod yr atebion i'r holl gwestiynau bellach, pledodd nhw ati fel bwledi.

'Iawn, Mabli. Pam benderfynaist ti fynd i'r tŷ teras bach 'na yn y lle cynta?'

Atebodd Mabli fel petai'n clywed y cwestiynau am y tro cyntaf.

'Wel ... achos 'mod i'n ymchwilio i achos hanesydd lleol a ddiflannodd ar droad y mileniwm.'

'Pwy oedd o?'

'Jac Percy. Darlithydd yn y coleg. Mi fu'n byw yn 6 Trem yr Ywen am bron i ugain mlynadd.' Cofiai Mabli'r ffeithiau hyn yn glir, felly atebodd y cwestiynau yn reit rhwydd.

'Disgrifia'r lle i mi.'

Culhaodd llygaid Mabli wrth iddi feddwl. Yna, fel mangl rydlyd yn gwasgu dilledyn, daeth y disgrifiad o'i genau.

'Tŷ teras. Mae o ar ben y rhes, dwi'n meddwl. Hen dai chwarel. Does 'na'm lot o fywyd yno. Mae'r ywen fawr o flaen y tai.'

'Lle mae Trem yr Ywen ?'

'Yn nhopiau Caerfai, heibio Capel Moreia. Os ei di yn dy flaen ar hyd y lôn am bedair milltir, mi ddoi di at ochr isaf Aberydd.'

'Pam fod diflaniad Jac Percy mor ddiddorol?'

'Achos bod un o'i fyfyrwyr ifanc o wedi diflannu 'run pryd, ac mi fu chwilio mawr am y ddau. Ddaethon nhw erioed o hyd iddyn nhw.'

'Be wnaeth i ti fynd i chwilio am ei hanes o rŵan, ugain mlynedd wedi iddo fo ddiflannu?'

Mi gyflwynwyd cais i'r Cyngor i godi tai yn y cae lle mae'r goeden, a byddai hynny'n golygu ei thorri hi lawr. Mae hi'n ddwy fil a hanner oed, meddan nhw, ac ro'n i'n meddwl y basa 'na dipyn o ffŷs yn cael ei wneud petai'r cwmni adeiladu yn cael caniatâd. Wrth dyrchu am wybodaeth am y goeden, mi ddois i ar draws gwaith ymchwil Jac Percy ar y pwnc, a gwybodaeth am Jac Percy ei hun. Felly y dysgis i am ei ddiflaniad, a'r stiwdant colledig.'

Da iawn, meddyliodd Baltws, roedd ei chof yn eitha da. Ond roedd yn rhaid procio mwy o lawer arni.

'Pam mai ar ôl hanes Jac Percy est ti, yn hytrach na hanes yr ywen?'

'Achos mi wrthodwyd y cais i'w thorri hi i lawr bron yn syth oherwydd ei bod hi dan warchodaeth, a ... wel, do'n i ddim yn fodlon stopio ymchwilio yn fanno.'

'Be oedd dy gam nesa di?'

'Wel, yn digwydd bod, roedd seremoni goffa i Jac wedi'i threfnu yn adran Hanes y coleg er mwyn dadorchuddio plac er cof amdano yn y brif fynedfa, ac mi gafodd y *Chronicle* wahoddiad i fynd yno.'

'Felly yn fanno y clywist ti am y dirgelwch o gwmpas ei ddiflaniad o.'

'Ia,' cadarnhaodd Mabli. Cofiai bopeth a ddysgodd am Jac Percy y diwrnod hwnnw yn y coleg yn glir.

'Pwy roddodd ganiatâd i chdi fynd i fusnesa i'w dŷ o, 'ta? Yn enwedig o gofio nad ydi o wedi bod yno ers ugain mlynedd.'

'Wel ... neb. Pan ges i wybod lle roedd o'n byw, mi wnes i waith ymchwil i'r tŷ ar y we a sylweddoli nad oes neb yn gyfrifol amdano fo bellach. Roedd y perchennog olaf, dynes oedd mewn gwth o oedran cyn iddi farw, yn rhentu'r lle i Jac Percy. Mi adawodd y lle i ryw deulu iddi yn America. Mae'r lle yn pydru ers hynny.'

'Wedyn be?'

'Wedyn, penderfynu mynd yno, a gofyn i Seimon ddŵad efo fi. Mi yrrais gyfeiriad y tŷ ac amser iddo fo ar Whatsapp.'

'Ddaeth o efo chdi?'

Dyma lle roedd pethau'n dechrau mynd yn niwlog iddi. 'Dwi ddim yn meddwl.'

'Iawn,' meddai Baltws. 'Seremoni goffa yn y coleg, clywed am Jac Percy, isio busnesu mwy, penderfynu mynd i'r tŷ teras roedd o'n ei rentu – sydd bellach yn wag – a gadael neges i Seimon ddod yna ar dy ôl di. Est ti yno?'

'Rois i golur ffres, lipstig coch a chyrlio 'ngwallt ... a rhoi fy sgidia sodlau am fy nhraed ...'

'Hyfryd iawn. Isio gwybod est ti yno ydw i, nid sut wnest ti bincio ar gyfer dy gariad!'

'Tydi o ddim yn gariad i mi ... jest licio cwmni'n gilydd ydan ni.'

Chymerodd Baltws ddim sylw o'i hateb. 'Wedyn be?'

'Mi yrris i yno yn y car.'

'Nos 'ta dydd?'

'Nos?' Atebodd fel petai'n gofyn cwestiwn.

'Deuda di. Pam yn y nos?'

'Achos do'n i ddim isio i neb fy ngweld i ... ma' siŵr.'

'Welodd rywun chdi?'

'Wn i ddim.'

'Sut est ti i mewn i'r tŷ?'

'Drwy'r drws cefn. Naci, drwy'r ffenestr gefn ... dwi'm yn cofio.'

'Sut le sydd tu mewn i'r tŷ?'

Canolbwyntiodd Mabli ar ei hateb. Caeodd ei llygaid. Cofiai awyrgylch y tŷ ond nid sut yr edrychai.

'Gwag, oeraidd, tywyll.'

'Sut ogla sydd yno?'

'Cyfoglyd,' meddai, gan droi ei hwyneb.

'Sut sŵn sydd yno?'

'Sŵn pryfaid, a lleisiau rhyfadd.'

'Iawn. Felly os oeddat ti'n bictiwr yn gadael y tŷ, sut oeddat ti'n edrych pan ddoist ti o'na?'

'Roedd 'na olwg y diawl arna i. Ro'n i'n llwch drostaf.'

'Pam?'

'Achos mi gollais i fy malans yn y llofft a rhoi 'mhenelin drwy'r plastar yn y wal.'

Yn sydyn roedd Mabli'n gegrwth. Roedd hi'n cofio. Cyflymodd ei hanadl ac edrychodd ar Baltws fel petai Seimon yn eistedd o'i blaen yn y cnawd. Dewisodd Baltws y cwestiwn nesaf yn ofalus iawn.

'Pam na ddaeth Seimon allan o'r tŷ efo chdi?'

'Dwi'm yn cofio. Un munud roedd o yno, wedyn ro'n i ar fy mhen fy hun.'

Nodiodd Baltws. Roedd o'n falch o weld bod Mabli'n cofio trefn pethau.

'Roedd o'n gweiddi rwbath o'r llofft arna i. 'Fatha tasa fo'n flin efo fi, wedi gwylltio go iawn am rwbath.'

'Ocê,' meddai Baltws, 'a sut mae'r lle 'ma'n gwneud i ti deimlo?'

'Wedi gwylltio, unig, dryslyd. Wedi dychryn!' pwysleisiodd.

'Iawn, felly. Llofft – diflannu – dychryn,' cadarnhaodd Baltws.

Edrychodd Mabli arno gydag ychydig mwy o ddeallusrwydd yn ei llygaid cochion.

''Dan ni wedi cael y sgwrs yma o'r blaen, yn do.' Dweud – nid gofyn.

'Do,' cadarnhaodd Baltws.

'Dwi hefyd yn cofio ym mha drefn y diflannodd y tri. Seimon, Sera, Arwyn. Arwyn oedd yr olaf achos efo fo dwi'n cofio siarad ddwytha am y lle. Ac mi fu Arwyn yno efo fi. Do, yn bendant.'

Crafodd ei phen a theimlodd glip gwallt roedd hi wedi anghofio amdano yng nghanol ei chaglau melyn blith draphlith.

'Pryd es i yno efo Arwyn? Ddoe?' gofynnodd, gan dynnu'r clip o'i gwallt heb falio bod cudyn blêr bellach yn hongian tu ôl i'w chlust.

'Nage, i'r archifdy est ti ddoe. Dydd Mawrth fuest ti yn y tŷ efo Arwyn.'

'Dydd Mawrth ...' ailadroddodd Mabli yn wan wrth i ddelweddau ohoni yng nghwmni Arwyn yn y tŷ lithro i'w meddwl. Petai Baltws wedi deud wrthi mai diwrnod Dolig oedd hi, fysa hi'n ddim callach.

Ei bòs oedd Arwyn. Fo oedd y trydydd i ddiflannu mewn

pythefnos. Gŵr hynaws a hynod gyfeillgar, ac oni bai amdano fo, fyddai Mabli ddim wedi cael dechrau mor dda i'w gyrfa newyddiadurol. Bu Arwyn yn olygydd y *Chronicle*, y papur newydd lleol, ers deunaw mlynedd a daethai'r ddau yn agos iawn yn ddiweddar, yn enwedig ar ôl i Seimon ddiflannu dros bythefnos yn ôl. Petai'n bod yn onest, ni wyddai Mabli pwy roedd hi'n hiraethu fwyaf amdano, Seimon neu Arwyn.

Bu hi ac Arwyn yn 6 Trem yr Ywen dridiau ynghynt. Yr unig beth a gofiai oedd Arwyn yn diflannu, a hithau'n teimlo llond twll o ofn cyfarwydd. Wedyn dim. Dim byd. Bob tro y diflannai un ohonynt, chofiai hi ddim byd o gwbwl ar ôl hynny, dim ond deffro yn ei thŷ ei hun yn teimlo'n swp sâl a sylweddoli fod dyddiau wedi mynd heibio heb iddi sylwi.

Daeth clec uchel taran uwch eu pennau â Mabli'n ôl i'r presennol. Peltiai'r glaw yn erbyn ffenestr y caffi.

'Pam na wnes *i* ddim diflannu yn y tŷ 'na?' gofynnodd. 'Pam fod pawb arall wedi diflannu a finna wedi dod allan yn saff? Dwi wedi bod yno deirgwaith o fewn pythefnos, ac mae pawb aeth i mewn efo fi wedi mynd i ebargofiant. *Pam ddim fi?*'

Arhosodd Baltws yn ddistaw am rai eiliadau. Roedd o wedi egluro hyn iddi sawl gwaith ers i Seimon, y cyntaf o'r tri, ddiflannu. Heddiw, penderfynodd beidio.

'Mae 'na ryw rym ofnadwy yn y tŷ 'na, Mabli, ond fedar o ddim trechu bob dim ddaw ar ei draws o.'

Bu peidio dweud y gwir wrth Mabli am y tro yn benderfyniad da, achos rhoddodd geiriau Baltws foddhad iddi, a mymryn bach o nerth o wybod ei bod hi'n dal ar ôl, heb ei threchu.

'Mae 'na un peth arall hefyd, Baltws Cardrona,' meddai Mabli'n awdurdodol.

'O? Be?'

'Sut nad ydw i'n dy gofio *di* o gwbwl tan rwyt ti'n ymddangos o flaen fy llygaid i? Rhwng bob cyfarfyddiad gawn ni, chofia i ddim byd o gwbwl amdanat ti. Ond y munud dwi'n dy weld di – dwi'n dy gofio di. Sut mae hynna'n gweithio?'

Roedd Baltws wedi blino egluro hyn iddi yn ogystal. Anwybyddodd y cwestiwn hwn eto rhag i ormod o wirioneddau ei drysu. Roedd ganddo un gorchwyl i'w gyflawni drannoeth, wedyn byddai'n barod i ddod â hyn i'w benllanw.

'Fory, Mabli. Mi gawn ni dy ffrindia di i gyd yn ôl, ac mi gawn ni chwalu'r melltith 'ma unwaith ac am byth. Heno, dwi isio i ti gael bàth a gwneud rwbath efo'r gwallt a'r wyneb blêr 'na. Wedyn, dwi isio i ti fwyta digon – nid pigo fel rhyw dderyn, ond bwyta go iawn. Wedyn cysga. Ocê? Cysgu. Fory, mi awn ni yno a rhoi stop ar hyn i gyd. Reit, dwi'n mynd â chdi adra, wedyn mi wna i'n siŵr fod popeth yno yn barod amdanon ni.'

Nodiodd Mabli. Doedd ganddi ddim egni i ddadlau.

Dilynodd llygaid Glenda Wyn y ddau wrth iddynt adael y caffi. Gwelodd fod Baltws wedi agor ei gôt fawr ddu a'i chau o gwmpas Mabli er mwyn ei harbed rhag y glaw. Wedi iddynt fynd allan o'i golwg, clywodd Glenda lais caled yn galw o'r gornel.

'Dach chi'n nabod hwnna?'

Trodd Glenda Wyn at berchennog y llais. Roedd Llinos Llwydyn yn gweithio yn archifdy'r dre ers iddi adael y coleg, ac yn gwsmer achlysurol yn y caffi. Synnodd Glenda nad oedd Llinos a Mabli wedi torri gair â'i gilydd tra oedd Mabli yn y caffi – rhyfedd iawn, a'r ddwy wedi bod yn yr ysgol a'r coleg efo'i gilydd, a hyd yn oed wedi dilyn yr un cwrs gradd.

'Nabod?' meddai Glenda o'r diwedd. 'Nac'dw, ond mae 'na rwbath yn gyfarwydd iawn am 'i wyneb o. Dwi'n siŵr 'i fod o'n arfer byw o gwmpas y lle 'ma flynyddoedd yn ôl, ond fedra i ddim meddwl yn iawn pwy oedd o. Pam ti'n gofyn?'

'Ydyn nhw'u dau yn dŵad yma'n aml?' gofynnodd Llinos gan osgoi ateb Glenda Wyn.

'Wel, maen nhw wedi bod yma ddwywaith yn yr wsnos neu ddwy dwytha 'ma.'

'Mi fuodd o yn yr archifdy efo hi ddoe,' eglurodd Llinos.

'O? Gweithio ar ryw stori i'r papur maen nhw, mi fetia i,' rhesymodd Glenda wrth sychu'r bwrdd o'i blaen â chadach. 'Mae'n rhaid ei bod hi'n goblyn o stori bwysig, achos mae'r straen o gyrraedd dedlein yn amlwg arni! Dwn i ddim sut arall i egluro'i chyflwr hi, na wn i.'

'Glenda bach,' meddai Llinos o dan ei gwynt. ''Sgynnoch chi'm syniad.'

Dydd Iau, Hydref 29

Syllai Mabli ar radio ei char, er nad oedd ymlaen. Bu yno'n synfyfyrio ers dros ddeng munud a'i goriadau yn ei dwylo.

Ym maes parcio'r archifdy oedd hi – y bwriad oedd mynd yno efo Arwyn, ond doedd Arwyn ddim ar gael. Fyddai Arwyn ddim ar gael byth eto. Roedd hi wedi colli ffrind arall. Y broblem oedd, doedd hi ddim yn cofio sut. Yr unig beth a gofiai oedd teimlo arswyd yn gafael am y ddau ohonyn nhw. Ni wyddai ymhle na phryd, ond roedd rhywbeth difrifol wedi digwydd iddo a doedd yr egni ddim ganddi i feddwl sut i ddatrys y peth yn rhesymegol. Ar galendr ei ffôn roedd cofnod yn cadarnhau mai heddiw roedd hi ac Arwyn i fynd i'r archifdy, felly yma y daeth hi, jest rhag ofn mai breuddwydio popeth a wnaeth hi, ac y byddai o yno i'w chyfarfod hi.

Neidiodd allan o'i chroen pan gnociodd rhywun ar ffenestr ei Citroen C2 glas golau. Warden y maes parcio, yn taro'i oriawr. Nodiodd ei phen arno, a dechrau hel ei phethau.

Ar ôl talu am ei thiced a'i osod ar ffenestr ei char, aeth i mewn i'r adeilad. Doedd hi ddim yn ymwybodol o'r ffaith ei bod hi'n gwisgo'r un dillad ers deuddydd a bod stremps bwyd ar ei chardigan – petai hi o gwmpas ei phethau, byddai'n cywilyddio fod y ffasiwn olwg arni.

Trawodd arogl y lle hi'n syth pan aeth drwy'r drws mewnol; arogl cyfarwydd iawn iddi yn rhinwedd ei swydd yn y *Chronicle*. Fel arfer, byddai wrth ei bodd â'r sawr llwch ac inc sych gan ei fod yn arwydd bod ymchwil difyr ar droed, a bod ffeithiau a fu ynghudd am flynyddoedd ar fin cael eu taflu i'r byd. Ond heddiw, doedd y brwdfrydedd arferol ddim ganddi. Aeth yn syth at y ddesg er mwyn gofyn i Llinos am yr erthyglau yr oedd hi wedi gofyn amdanyn nhw.

'Hei, Llinos,' meddai'n fflat, gan osod ei bag ar y ddesg flaen.

'Haia ... nefi, Mabli! Nes i'm dy nabod di, cofia. Ti'n iawn? Ti'n edrych yn ... wahanol heb dy sodla!' Brysiodd Llinos i ychwanegu rhan olaf y frawddeg rhag pechu. 'Doeddat ti ddim yn swnio fel chdi dy hun ar y ffôn y diwrnod o'r blaen chwaith.'

'Dwi ddim yn ddrwg, diolch.'

Ddim yn ddrwg? Roedd hi'n edrych fel jipsan alcoholig nad oedd wedi gweld ei gwely ers deuddydd. Yr unig beth oedd ar goll oedd arogl lysh.

'Dy hun wyt ti? O'n i'n meddwl bod 'na rywun yn dŵad efo chdi. Arwyn?'

Nodiodd Mabli, a syllu'n wag ar gownter y ddesg.

'Mabli?'

'M?'

'Cerdyn?'

Sylweddolodd Mabli nad oedd wedi dangos ei cherdyn aelodaeth i Llinos, ac aeth i'w bag i'w nôl o. Sganiodd Llinos y darn plastig a'i basio'n ôl iddi yn amheus.

'Diolch.' Trodd Mabli oddi wrth y ddesg a gweld bod Llinos wedi casglu'r erthyglau perthnasol iddi a'u rhoi ar y bwrdd yr arferai eistedd wrtho yng nghanol y llawr. Cododd y cyfan yn ei breichiau a'u cario oddi ar y bwrdd hwnnw i'r gornel bellaf, ymhell o olwg pawb. Wrth iddi osod popeth ar fwrdd arall teimlodd gyfog yn gwthio drwy ei chorff a chwalodd pendro drosti. Sadiodd ei hun drwy afael yng nghefn ei chadair. Allai hi ddim chwydu yn fan hyn. Nid mewn lle cyhoeddus, ac yn sicr ddim o flaen Llinos Llwydyn.

Anadlodd yn araf – i mewn ac allan, i mewn ac allan tan iddi deimlo fymryn yn well. Taflodd gipolwg o'i chwmpas wrth eistedd i lawr rhag ofn bod rhywun wedi sylwi arni. Neb. Ond petai hi wedi troi ei phen reit rownd, byddai wedi gweld llygaid barcud Llinos wedi'u hoelio arni.

Ni allai Llinos lai na chilwenu o weld y fath olwg ar Mabli Fychan, o bawb. Roedd yn adnabod Mabli ers iddi ddod i chweched dosbarth yr ysgol leol, er na fu'r ddwy yn ffrindiau yno nac yn y coleg, pan gafodd y ddwy eu derbyn ar yr un cwrs.

Gwnaeth Mabli argraff ar bawb yn y darlithoedd ac yn y neuadd breswyl o'r cychwyn cyntaf. A pha ryfedd? Roedd hi'n dlws fel dol Barbie, yn gwisgo'n ffasiynol mewn sgerti a sodlau uchel pan oedd y gweddill yn fodlon ar jîns a chrys chwys, ac yn glyfar ar ben hynny! Doedd gan neb air drwg i'w ddweud amdani – yn agored, o leia – a chredai pawb y byddai ar y trên cyntaf i Fleet Street ar ôl graddio. Ac efallai mai dyna fyddai wedi digwydd petai hi heb golli'i thad yn ddisymwth.

Faddeuodd Llinos erioed i Mabli am fod mor glyfar, mor ddel a mor neis. Roedd ganddi damaid bach o amheuaeth mai Mabli ddechreuodd yr arferiad o'i galw yn 'Llinos Llwydyn' yn y coleg hefyd, er mai 'Lloyd' oedd ei chyfenw iawn. Dyna pam nad oedd ganddi lawer o gydymdeimlad â hi yn y fynwent ar ddiwrnod yr angladd, a hithau'n claddu ei hail riant. Petai Llinos yn hollol onest, byddai'n cyfaddef iddi fynd i'r angladd er mwyn gweld Mabli'n dioddef ryw fymryn, ond cafodd siom. Roedd Mabli'n ddirodres iawn yn ei cholled.

Sylweddolai Llinos ei bod yn chwerw ac afresymol, ond ar y llaw arall, sut oedd modd i hogan weithio cyn lleied a chael cymaint o lwyddiant yn ei chwrs gradd ar yr un pryd? Roedd gweddnewidiad presennol Mabli wrth fodd Llinos.

Gwyliodd Llinos hi'n pori dros y papurau yn nhywyllwch pen draw'r stafell. Roedd ganddi stori reit bwysig ar droed, mae'n rhaid – rhywbeth dirgel, ac roedd Llinos ar dân eisiau gwybod mwy. Ai rŵan oedd yr amser i Llinos brocio Mabli am fwy o wybodaeth, a hithau yn amlwg mewn gwendid? Petai

Mabli'n colli ei swydd yn y *Chronicle*, byddai Llinos mewn lle da iawn i lenwi ei hesgidiau swanc.

Wyddai Mabli ddim ble i ddechrau. Waeth iddi gael llyfr lliwio o'i blaen ddim – roedd paragraff, hyd yn oed, yn mynd i fod yn ormod iddi ei ddarllen. Yna, tarodd ei llygaid ar lun o Jac Percy ar un o'r ychydig dudalennau o'i blaen, a chododd y cyfog drachefn.

'Mabli?' Teimlodd Mabli law annisgwyl ar ei hysgwydd. Llinos, â golwg chwilfrydig iawn arni. 'Dwyt ti'm yn edrych yn dda, 'sti,' meddai'n ffuantus. Doedd gan Mabli ddim syniad beth i'w ddweud wrthi. Gallai ofyn am help efo'r gwaith, ond doedd hi erioed wedi gorfod gofyn i neb am help o'r blaen, a wyddai hi ddim lle i ddechrau.

'Fydda i'n iawn, 'sti. Ond diolch am gynnig helpu.'

Ond doedd Llinos ddim am dderbyn hynny.

'Noson hwyr neithiwr?' Cilwenodd Llinos gan awgrymu fod ganddi ufflon o ben mawr.

Cododd Mabli ei hysgwyddau. 'Dwn i'm. Oedd?' gofynnodd Mabli, fel petai'r ateb gan Llinos yn hytrach na ganddi hi'i hun.

Lledodd llygaid Llinos. Roedd hi'n amser tyrchu.

'Tŷ diddorol, hwnna,' meddai, gan edrych ar yr erthyglau oedd o flaen Mabli. 'Oedd gen ti deulu'n byw yno? Dyna pam wyt ti'n chwilio am hanes y lle?'

'Na, dim cysylltiad personol,' meddai'n dawel. Ysgydwodd ei phen, rhwbio'i llygaid a dylyfu gên.

'Dedlein i'r papur newydd 'sgin ti, ia?'

'Tydw i ddim wedi gwneud cymaint o waith ar y stori yma ag y byswn i wedi licio,' cyfaddefodd Mabli.

Tarodd Llinos olwg i gyfeiriad y ddesg flaen a gwelodd fod Buddug, ei bòs, yn cadw golwg ar y lle. Os oedd Llinos am fachu stori Mabli o dan ei thrwyn, rŵan roedd gwneud, tra oedd hi ar ei gwannaf. Gydag ychydig o anogaeth byddai Mabli'n siŵr o ddatgelu rhai ffeithiau allweddol, a gallai Llinos ddod yn rhan o'r ymchwil. Wedi'r cyfan, ganddi hi roedd y ffynonellau, achos mai hi oedd yn gweithio yn yr archifdy. Penderfynodd osod yr abwyd.

'Wel, ti'n gwybod dipyn am hanes Jac Percy dy hun erbyn hyn, dwyt? Diflannu yn 1999 ymysg sïon fod ei *protégé* ac yntau wedi rhedeg i ffwrdd efo'i gilydd. Sgandal fawr!' Oedodd er mwyn sicrhau fod Mabli yn gwrando arni. Nodiodd Mabli ei phen. 'Ond mae gen ti ddiddordeb yn y tŷ ei hun hefyd, yn does?' gofynnodd, gan godi ambell bapur ac estyn hen erthygl o'r *Gazette* i Mabli. 'Drycha ar hwn.'

Roedd llun gŵr canol oed yn gwisgo siwmper wlân ar ran uchaf y dudalen. Roedd camera yn hongian am ei wddw a llyfr yn ei law. Pennawd yr erthygl oedd 'Glandon yn ein Gwylio'.

'Mi fu *hwn* yn byw yn 6 Trem yr Ywen hefyd,' meddai Llinos, yn swnio fel athrawes yn dysgu plant oed cynradd. Ond wnaeth Mabli ddim cynhyrfu wrth weld ei enw. Yr unig beth a wnaeth hi oedd syllu fel llo ar y papur o'i blaen. 'Ffotograffydd lleol oedd o, a does 'na ddim llawer o sôn amdano fo ar ôl Dolig 1983, er iddo gyhoeddi llyfr ffotograffau o'r ardal chydig cyn hynny, sef hwn.' Dangosodd Llinos y llyfr ffotograffau i Mabli ac arhosodd i chwilfrydedd ymddangos ar ei hwyneb. Dim byd.

'Dyn ei filltir sgwâr oedd Glandon yn bendant,' parhaodd Llinos, 'ac mi fu'n gweithio'n rhan amser yn y coleg yn ddarlithydd ffotograffiaeth, ond does dim sôn amdano yn fanno chwaith ar ôl 1983. Roedd o'n rhentu 6 Trem yr Ywen gan hen wraig o'r enw Catherine Williams, yr olaf o deulu chwarel oedd yn byw yno yn negawdau cyntaf y ganrif ddwytha. Mae 'na hanes diddorol i'r rheiny hefyd, dwi'n siŵr.'

Yn ddiarwybod i Llinos, roedd cynnwys stumog Mabli ar fin glanio ar y bwrdd. Roedd hyn yn ormod iddi. Roedd wyneb Glandon a'r llyfr ffotograffau yn codi cyfog arni, ond doedd ganddi ddim syniad pam.

Byddai'n rhaid iddi siarad â rhywun, petai ond er mwyn arbed ei hun rhag gwallgofrwydd llwyr. Ond Llinos o bawb? Thynnodd honno mo'i phen o'i llyfrau tra bu hi yn y coleg, a wnaeth hi fawr o argraff ar neb efo'i gwaith yn y diwedd. Ildiodd Mabli i'w sefyllfa.

'W'sti be, Llinos, i fod yn onest efo chdi tydw i ddim yn hollol ...' dechreuodd, ond rhewodd yn ei chadair cyn dweud gair arall. Wrth un o'r byrddau, gyferbyn â'r ddwy, eisteddai dyn trawiadol yr olwg. O, roedd hi'n adnabod hwn! Roedd hi wedi anghofio popeth amdano, ond ar ôl ei weld roedd hi'n ei gofio'n glir. Ysgydwodd y gŵr ei ben ar Mabli fel petai'n ei rhybuddio i beidio â chynnwys Llinos yn ei phair mawr o ddryswch.

Brathodd ei thafod. Doedd dim angen help Llinos arni bellach.

'Anghofia fo. Diolch i ti am ofyn os ydw i'n iawn, beth bynnag, Llinos,' meddai.

Sylwodd Llinos fod Mabli yn edrych dros ei hysgwydd. Trodd ei phen, a rhewodd pan welodd pwy oedd y tu ôl iddi. Doedd bosib ... na, allai o ddim bod.

Gwyddai Llinos yn iawn pwy oedd y gŵr oedd yn syllu ar Mabli – doedd dim llawer ers iddi ddod o hyd i lun ac erthygl amdano yn un o hen rifynnau'r papur bro lleol o 1999. Beth oedd o'n wneud yn ei harchifdy hi, yn amlwg yn gweithio efo Mabli Fychan? Dechreuodd ei chynllun i gael y gorau ar y newyddiadurwraig chwalu'n deilchion.

Trodd Llinos oddi wrth y ddau a dychwelyd at ei desg. Ystyriodd. Roedd Mabli yn amlwg yn chwilio am wybodaeth ynglŷn â Jac Percy a 6 Trem yr Ywen. Byddai'r dyn hwn yn medru rhoi'r wybodaeth iddi heb orfod ymchwilio o gwbwl.

Ond roedd un darn o wybodaeth am Jac Percy nad oedd Llinos wedi'i roi i Mabli, a phenderfynodd gadw hwnnw o dan ei het am y tro nes iddi ddarganfod beth oedd bwriad y dyn pengoch hwn. Efallai y byddai Mabli'n dod ar ei gofyn wedi'r cyfan?

Gwyliodd Llinos y dyn yn codi a cherdded tuag at Mabli, a oedd yn edrych arno fel petai mewn perlewyg. Roedd ei wallt coch crychlyd yn drawiadol, a'i frychni mân bron yn dawnsio ar ei fochau a'i drwyn. A'r llygaid glas, a syllai ar rywun fel petaent yn ei adnabod tu chwith allan ... roedd rhyw ddyfnder cyntefig ynddynt. Estynnodd ei law i Mabli mewn arwydd iddi godi, a dilynodd hi allan o'r archifdy a llygaid miniog Llinos yn eu dilyn.

'Mabli?'

Trodd Mabli i edrych ar Llinos yn flinedig.

'Cofia fod 'na ddwy ochr i bob stori.' Bu ond y dim i Llinos chwydu ei chyfrinach, ond brathodd ei thafod.

* * *

Wrth gamu allan o'r adeilad sylweddolodd Mabli ei bod hi'n rhy boeth o lawer i wisgo'i chôt, ond doedd ganddi ddim owns o egni i'w thynnu. Roedd hi'n fwll ofnadwy ac yn hel am storm ers dyddiau. Cerddodd Baltws yn hyderus tuag at ddrws ochr gyrrwr ei char a rhoi ei law allan. Taflodd Mabli ei goriadau iddo'n reddfol, ac eisteddodd y ddau yn y car heb danio'r injan am funud.

'Un peth,' meddai wrthi â thinc rhybuddiol yn tanlinellu ei eiriau. 'Paid â mynd i siarad efo honna am *ddim byd* sy'n mynd ymlaen yn y tŷ 'na. Tydan ni ddim isio neb arall yn diflannu yno.'

'Iawn,' cytunodd Mabli'n gysglyd.

'Beth bynnag, mae 'na rwbath od yn ei chylch hi.'

'Iawn,' ailadroddodd Mabli.

'Reit 'ta, dwi'n mynd â chdi adra, a gwna'n siŵr dy fod di'n cysgu a bwyta.'

Agorodd Mabli'r ffenestr er mwyn anadlu'n iawn. 'Dwi'n iawn. Dim ond twtsh o'r ffliw sydd arna i,' meddai.

'Wyt ti 'di bod isio taflu i fyny heddiw, ac wedi methu gwneud?'

'Do.'

'Achos nad wyt ti wedi bwyta'n iawn ers deuddydd mae hynny. Adra, bwyd, rŵan! Cofia mai fi'n sy'n gwybod orau. Nid chdi ydi'r person cynta i mi orfod delio efo fo mewn amgylchiadau fel hyn,' meddai gan danio'r injan.

'Wel,' cegodd Mabli'n ôl, 'os wyt ti'n gymaint o arbenigwr ar y sefyllfa, pam 'mod i'n teimlo cymaint o ddryswch?' Ni chafodd ateb. 'Be ddigwyddodd i Arwyn yn y tŷ 'na echdoe?' gofynnodd Mabli, gan obeithio y byddai gan Baltws atebion.

'Diflannu fel y lleill,' ochneidiodd Baltws, yna aeth i'w boced ac estyn llun du a gwyn. 'Be wyt ti'n wybod am hwn?' gofynnodd.

Llun o Glandon Richards, y ffotograffydd lleol y bu Mabli'n edrych ar ei lyfr yn yr archifdy ddau funud ynghynt.

'Roedd o'n ffotograffydd lleol,' eglurodd, 'ac roedd o'n arfer byw yn y tŷ ... ac mae fy stumog i'n troi pan dwi'n gweld ei wyneb o.'

'Oedd o'n gwisgo jympyr wlân, las?'

'Sut y gwn i? Am gwestiwn stiwpid! Wnes i erioed ei gyfarfod o, naddo! 'Mond newydd glywed amdano fo ydw i, ac mae pob llun dwi wedi'i weld ohono fo mewn du a gwyn!'

Tarodd Baltws ei fysedd ar lyw'r car yn ddiamynedd.

Dydd Mawrth, Hydref 27

'Ewadd! Ma' hi'n rhyfadd iawn bod y drws cefn yn 'gorad fel'na.'

Safai Arwyn yn ei ddillad gwaith yng nghegin lom 6 Trem yr Ywen, yn anelu golau ei dortsh ar ffrâm rychiog y drws cefn. Roedd yn llygadu pob twll a chornel, gan gynnwys y ffrâm oedd wedi cael ei malu'n fwriadol. Gafaelai yn ei friffcês – doedd o byth yn mynd allan ar stori heb hwnnw.

'Mae'r ffrâm wedi malu, yli. Mae'n rhaid bod rhywun reit gry' wedi rhoi hergwd go hegar iddo fo. Plant, ella, wedi sylweddoli fod y tŷ yn wag.'

Teimlai Mabli'n anghyffforddus. Nid ffrâm y drws yn unig oedd yn ei phoeni, ond y tŷ cyfan, oedd yn dywyll a bygythiol er ei bod yn olau dydd y tu allan.

'Tydw i ddim yn meddwl mai ni ydi'r unig rai i ddŵad yma ers ymadawiad Jac Percy, Mabli.'

'Na, dach chi'n iawn,' cytunodd Mabli, gan geisio swnio'n ddi-hid. Edrychai'r gegin yn gyfarwydd iddi – cyfarwydd iawn, ac roedd hynny yn ei phoeni.

Taflodd Arwyn olau ei dortsh bychan drwodd i'r ystafell nesaf. 'Awn ni yn ein blaenau?'

'Chi gynta!' mynnodd Mabli. Fel arfer, byddai wedi rhuthro o flaen Arwyn i gael golwg iawn ar y lle, ond nid yn y fan hyn. Roedd rhywbeth am y tŷ hwn yn ei dal yn ôl. Aethant drwodd ac yn syth fe stopiwyd Mabli gan y teimlad cryfaf o *déjà vu* iddi ei gael ers talwm. Roedd lle tân yn nhalcen y tŷ, hen gadair, lluniau ar y wal gyferbyn â'r ffenestr gefn, drws yn arwain at y stafell ffrynt. Fe'i gwelodd nhw o'r blaen.

'Pob tŷ teras yn edrach run fath, bron,' meddai Mabli â chwerthiniad bach, er mwyn ceisio boddi ei nerfusrwydd.

'Mewn tŷ teras y ces i fy magu, w'sti,' meddai Arwyn, gan arddangos y balchder arferol wrth sôn am hynny.

'A finna mewn tŷ capal.'

'Wel, ia. Ond tydi tai capel yn ddim byd tebyg i dai teras. Maen nhw'n dueddol o fod yn uwch ac yn fwy ym mhob ffordd ... Wedi deud hynny, tydi hwn ddim yn dŷ teras bach, chwaith, o bell ffordd. Ewadd, nac'di.'

Doedd hon ddim yn sgwrs uchelgeisiol iawn ond diolchai Mabli amdani. Roedd gan Arwyn ryw ffordd o siarad a wnâi i unrhyw beth swnio'n ddiddorol, ac wrth symud o'r stafell gefn i'r stafell ffrynt oleuach, roedd hi'n falch o rywbeth i dynnu ei sylw oddi wrth y dodrefn a'r waliau. Doedd gan Mabli ddim ond diolch iddo am bopeth, i fod yn onest. Oni bai iddo weld dawn ynddi i newyddiadura, fyddai o fyth wedi rhoi cynnig iddi ymuno â thîm y *Chronicle* yn syth o'r coleg fel y gwnaeth o. Pan gollodd ei thad, bu'n andros o gefnogol iddi, gan sicrhau y byddai ei swydd yn aros amdani pan fyddai'n ddigon cryf i ddod yn ôl i'w gwaith.

Bu Arwyn yn fentor gwerth chweil iddi, a phan ddechreuodd weithio ar y papur synnai nad oedd wedi anelu ei olygon ar Fleet Street. Ond buan y dysgodd mai bugail ei filltir sgwâr oedd Arwyn. Arwain y ffordd i ieuenctid yr ardal oedd ei nod, nid troi ei gefn arnynt. Aeth sawl newyddiadurwr ifanc yn eu blaenau o raglen brentisiaeth Arwyn i ddilyn gyrfaoedd disglair, a dyna y gobeithiai Mabli fyddai'n digwydd iddi hithau hefyd. Doedd hi ddim yn bwriadu aros yn y *Chronicle* yn rhy hir.

'Wel,' meddai Arwyn wrth ddiffodd ei dortsh, 'mae'n amlwg bod rhywun wedi gofalu am y lle ar ôl i Jac Percy adael, neu fasa'r dodrefn ddim wedi cael eu gorchuddio â chynfasau gwynion fel hyn. Ond mae'n ddowt gen i mai nhw dorrodd y drws cefn.'

Cytunai Mabli â hynny, ond roedd rhywbeth yn ei phigo. Teimlai ysfa i weld y dodrefn oedd o dan y blancedi, yn enwedig yr un mawr yn y gornel bellaf.

'Dwi'n siŵr na wnaiff agor y rhain ddim drwg,' meddai Arwyn wrth gamu at y ffenestr ac agor y llenni llychlyd. Chwifiodd ei law o flaen ei wyneb i gael gwared o'r pryfed a gododd o'r defnydd. 'Wannwyl!'

Wedi sylwi ar yr ywen oedd o, a'r cysgod a daflai dros yr ystafell. Roedd hi'n drawiadol. Yn ynfyd o drawiadol. Edrychai'r ceudod yn ei chanol fel ogof ddigon mawr i rywun ddiflannu i mewn iddi, a rhannai ei boncyff yn ddwy ran anferthol gan droelli am allan oddi wrth ei gilydd. Taflai'r ddau foncyff hynny ganghennau cryfion i bob cyfeiriad, wedi'u gwisgo â chôt góniffer o binnau mân.

Gresynodd Arwyn na ddangosodd fwy o ddiddordeb yn yr hen ywen cyn hyn, gan ei bod yn un o'r coed yw enwocaf yng ngwledydd Prydain. Nid yn unig am ei bod ymysg yr hynaf, ond oherwydd na hawliwyd hi gan dir Cristnogol chwaith. Wrth graffu drwy'r ffenestr fudr, sylwodd ei bod yn brownio rownd ei gwaelod i gyd, fel petai hi wedi bod yn eistedd mewn potiaid o rwd. Trodd at Mabli.

'Deud wrtha i eto, Mabli, gest ti fwy o wybodaeth am yr hen ywen 'ma?'

'Ym ...' dechreuodd Mabli, yn falch o gael meddwl am rywbeth gwahanol am eiliad. 'Wel, yn ôl ymchwil Jac Percy mae hi dros ddwy fil a hanner o flynyddoedd oed, ac mi gafodd ei mesur yn y 1950au gan wyddonwyr o Rydychen. Mae ar y rhestr o goed yw hynaf Prydain, ac mae hi'n fenywaidd ac yn wrywaidd – dyna pam mae 'na aeron arni. Maen nhw'n wenwynig i dda byw a phobol, ond yn saff i geirw eu bwyta, mae'n debyg.'

'Ia wir,' meddai Arwyn, gan ddal i syllu ar y goeden fel petai mewn perlewyg.

'Wedyn, mae Jac Percy yn mynd ei flaen yn ei erthygl i egluro symboliaeth coed yw i'r hen Geltiaid. Roedd y ceudod sydd wastad i'w gael mewn rhai hynafol fel hon yn cael ei ystyried yn borth rhwng y byd yma a'r byd nesa.'

'Ewadd,' meddai Arwyn, gan ysgwyd ei ben.

'Awn ni i fyny'r grisiau, Arwyn? Does 'na'm lot i'w weld yn fan hyn,' meddai Mabli i geisio'i annog oddi wrth y ffenestr.

'Wel ia, ia wir,' meddai a throi i wynebu'r ystafell. 'Ew!' ebychodd eto, wrth edrych ar y wal gyferbyn ag o. 'Yli godidog ydi'r ddresel 'na!'

Yn erbyn y wal oedd rhwng y ddwy stafell safai hen ddresel fawr, dderw. Prin yr edrychodd Mabli arni – roedd hi fel petai'n ofni troi ei phen i edrych. Cerddodd Arwyn tuag at y dodrefnyn.

'Mae 'na grefftwaith yn fan hyn, Mabli, oes yn wir.' Yna sylwodd ar rywbeth. 'Dewadd, mae 'na olion bysedd arni! Sbia di yn y llwch yn fan hyn.'

Yn anfoddog, trodd Mabli i edrych ar yr olion bysedd. Roedd rhywun wedi bod yn chwilota yma, yn amlwg – pwy bynnag dorrodd i mewn i'r tŷ a malu'r drws, mae'n siŵr. Agorodd Arwyn un o'r droriau, ond ffeindiodd o ddim byd ynddi. Rhwbiodd y llwch oddi ar ei ddwylo.

'Wel,' meddai gan wenu, 'gobeithio na ddaw'r heddlu yma i ymchwilio, neu mi fydda i'n edrych mor euog â'r un fu yma gynta – mae ôl fy mysedd inna dros bob man, rŵan!'

'Awn ni i fyny'r grisia, Arwyn?'

Mabli arweiniodd y tro hwn, ond wrth gyrraedd pen y grisiau cafodd deimlad na ddylai droi i gyfeiriad y llofft ffrynt.

Ar y chwith iddi ar ben y grisiau roedd drws yn arwain at stafell oedd uwchben y gegin gefn. Y stafell molchi, tybiodd Mabli, felly doedd dim diben ei agor. Gwelodd ddrws arall gyferbyn â hi. Roedd y drws wedi'i agor, a chlo clap wedi'i falu yn hongian ar follt fechan. Gwthiodd Mabli'r drws yn araf, a safodd y ddau yn yr agoriad. Doedd Mabli ddim yn siŵr iawn beth roedd hi'n ei weld i ddechrau. Clywodd glicied botwm tortsh Arwyn wrth ei hymyl, a llanwyd y stafell fechan â golau.

'Wel wir! Stafall dywyll i ddatblygu lluniau,' rhyfeddodd Arwyn gan stwffio heibio i Mabli drwy'r drws. Roedd rhyw hen arogl yn pwyso ar yr aer yno, ac yn hongian ar linyn roedd rhesaid o luniau du a gwyn ar begiau, a'r rheiny wedi cyrlio gyda threigl amser. Yn rhedeg ar hyd y wal bellaf roedd desg hir a thri hambwrdd dwfn mewn rhes, wedi'u labelu ag enwau cemegion. Yng nghanol y llawr roedd peiriant na wyddai Mabli beth oedd o nes i Arwyn egluro mai dyfais i chwyddo negatifs oedd o. Roedd cadair yng nghornel arall yr ystafell ag amlen fawr frown arni. O dan honno roedd pecyn cardfwrdd A4 gyda'r enw Ilford arno, a llyfr du a gwyn.

O dan y ddesg sylwodd Arwyn fod poteli mawr i ddal cemegion a mesuryddion, hen gamera Nikon F3/T a lensys gwahanol, oll o dan gwrlid o lwch a gwe pry cop, fel petai amser wedi crwydro drostynt a'u gwnïo'n sownd.

'Wyddwn i ddim fod Jac Percy yn ffotograffydd. Wyddet ti?'

Ysgwyd ei phen wnaeth Mabli. Ychydig iawn a wyddai'r un o'r ddau am fywyd personol yr hanesydd lleol, a dyna un rheswm pam y daethant i'r tŷ.

Roedd ffenestr y stafell dywyll wedi cael ei llenwi â brics felly camodd Mabli yn ôl allan er mwyn i'r ychydig olau o ben y landin dreiddio i mewn. Roedd hi wedi bod yn y stafell hon o'r blaen, yn bendant. Ond sut? Rhwbiodd ei thalcen. Tybed fu hi yn y tŷ pan oedd yn blentyn? Ai dyna pam roedd y lle mor gyfarwydd? A ddigwyddodd rhywbeth difrifol iddi yma flynyddoedd yn ôl, tybed? Byddai hynny'n egluro'r teimlad annifyr a'r bendro a chwalodd drosti.

'Wyt ti'n iawn, Mabli?'

Roedd Arwyn wedi dod at y drws â'r lluniau oedd yn hongian yn yr ystafell yn ei law. Gwnaeth ystum fel petai am edrych drwyddynt, ond stopiodd pan welodd pa mor welw oedd Mabli.

'Cael ryw hen deimlad annifyr yma ydw i.'

'Sut fath o annifyr?' gofynnodd, wrth roi'r lluniau ar fwrdd yr ystafell dywyll.

'Fatha 'mod i wedi bod yma o'r blaen.'

Roedd wyneb Arwyn yn llawn chwilfrydedd. 'Chdi falodd y drws cefn 'na?'

'Na, na, dim byd fel'na,' chwarddodd yn chwithig. 'Mae 'na rwbath yn deud wrtha i na ddylen ni agor y drws acw o gwbwl, er enghraifft,' eglurodd gan bwyntio at ddrws y llofft ffrynt ar y dde.

'O?'

'Fedra i ddim egluro'n iawn, ond dwi'n gwbod ym mêr fy esgyrn bod y drws 'na i fod i aros ynghau.'

Trodd Arwyn i edrych ar ddrws yr ail lofft ffrynt. Roedd wyneb Mabli yn ei argyhoeddi ei bod o ddifrif, ond roedd ei reddf newyddiadurol yn ei annog i brocio ymhellach.

'Pam ti'n meddwl mae hynny, Mabli?'

Rhewodd Mabli wrth weld Arwyn yn cerdded yn nes at y drws caeedig. Bu ond y dim iddo droi dwrn y drws, ond gwnaeth yr ofn anghyfarwydd ar ei hwyneb iddo oedi.

Dechreuodd Arwyn amau ei ddoethineb yn dod i'r tŷ efo Mabli. Doedd hi ddim wedi bod yn edrych fel hi ei hun ers dros wythnos – ei dillad yn flêr a'i gwallt dros ei dannedd – a'i sbarc arferol wedi diflannu. A pha ryfedd, ystyriodd. Roedd ei chariad a'i ffrind wedi diflannu o fewn wythnos i'w gilydd. Yr hen grinc iddo fo.

Cafodd Arwyn ei siomi yn Seimon am ddau reswm yn ddiweddar – roedd wedi diflannu o'i waith heb fath o esgus nac eglurhad, yn un peth, ac ar ben hynny, roedd ffrind gorau Mabli wedi diflannu o gwmpas yr un pryd. Doedd dim angen Einstein i ddadansoddi beth oedd yn gyfrifol am y gweddnewidiad yn Mabli.

Roedd Mabli'n haeddu gwell na Seimon. Dipyn o jarff oedd o yn y bôn, yn meddwl mwy ohono'i hun nag y gwnaethai o'i swydd. Deallai Arwyn apêl newyddiaduraeth i rywun fel Seimon mewn ardal wledig gan ei bod yn yrfa fyddai'n ehangu gorwelion, ond ym marn Arwyn doedd gan Seimon mo'r potensial i gyrraedd yr uchelfannau proffesiynol – yn wahanol i Mabli. Ceisiodd gysuro'r ferch oedd yn crynu wrth ei ymyl.

'Yli, mi awn ni lawr y grisia i sbio ar y llunia 'ma.'

'Ddim i lawr grisia – dwi'm yn licio fanna chwaith. Mae 'na fwy o ola yn fan'cw,' meddai, gan amneidio at y llofft arall.

Mabli druan, meddyliodd Arwyn wrth droi i estyn yr amlen frown oddi ar y gadair yn y gornel a dilyn Mabli i'r llofft olau.

Roedd y tywydd yn dechrau troi yn fwy mwll, a theimlai Mabli ddechreuad y cur pen arferol fyddai'n ei tharo cyn tywydd stormus. Tynnodd ei chôt oddi amdani a gallai deimlo'i chrys yn glynu yn ei chefn. Agorodd y llenni i ddatgelu'r ywen gyferbyn cyn i Arwyn ddychwelyd efo'r amlen.

'Reit, ta, ty'd i ni weld be s'gynnon ni'n fama,' meddai, gan eistedd ar ei bengliniau ar y llawr a gosod y lluniau fesul un wrth ochr ei gilydd. Ar ôl gosod rhyw ddeg ohonynt, stopiodd. 'Glandon Richards!' ebychodd.

'Pwy?' gofynnodd Mabli.

'Glandon Richards. Ffotograffydd. Roedd o'n arfer gweithio i'r *Gazette*.'

'Be ddigwyddodd iddo fo?'

'Diflannu, mwya swta heb ddeud dim byd wrth neb,' meddai, gan ysgwyd ei ben wrth gofio. 'Ia, Glandon Richards,' meddai wedyn gan ddal i ysgwyd ei ben.

Edrychodd Mabli ar y lluniau ohono. Gŵr wedi pasio'i ganol oed, boliog, a thagell ganddo. Roedd pobol eraill yn y lluniau efo fo, hefyd.

'Ydach chi'n nabod y bobol 'ma?'

'Ydw,' meddai Arwyn yn annwyl. 'Gwenda Gibbons, y faeres, oedd hon. Mae hi 'di marw erbyn hyn.' Yna pwyntiodd at y llun agosaf ato. 'Wedyn mae gen ti lun o Nigel Roberts – ffotograffydd o Aberydd ydi o. Ti'n ei nabod o, siawns, a titha wedi dy fagu yno?'

'O, ydw siŵr,' meddai Mabli, gan dynnu mwy o'r lluniau allan o'r amlen frown. Roedd un ohono wedi'i dynnu'n agos a dim ond hanner uchaf ei gorff oedd yn y golwg. Ond yn ei law roedd llyfr du a gwyn.

'Llyfr Glandon oedd hwnna,' eglurodd Arwyn. 'Mi gyhoeddodd lyfr o luniau roedd o wedi'u tynnu dros chwarter canrif o weithio yn yr ardal. Yn fuan ar ôl hynny y gwnaeth o ddiflannu ... 'rhosa di am funud bach ...' Torrodd Arwyn ar ei draws ei hun fel petai wedi sylweddoli rhywbeth. Cododd, ac aeth yn ôl i'r stafell dywyll.

Arhosodd Mabli ar ei gliniau gan bori drwy fwy o'r lluniau. Roedd y rhain yn lluniau o ffair Nadolig – roedd coeden wedi'i haddurno yn y cefndir a phobl wedi'u lapio'n reit gynnes. Adnabu Mabli gloc Neuadd Goffa Caerfai y tu ôl i Glandon mewn un llun.

'Mae 'na lun ohonach *chi* yn ganol 'rhein!' synnodd Mabli. 'Ylwch ifanc ydach chi!'

Daeth Arwyn yn ei ôl i'r ystafell efo copi o lyfr du a gwyn Glandon Richards yn ei law, a phenliniodd dros luniau'r ffair. Ddywedodd o ddim am sbel, dim ond edrych ar y llun â gwên ar ei wyneb. Cymerodd y llun o law Mabli a'i ddal o'i flaen cyn ysgwyd ei ben mewn anghrediniaeth.

'Ia, yn ffair Dolig yr Urdd. 198 ... ia, tua'r adag y diflannodd o, 1983. Ew, mi oedd hi'n lluwchio'r noson honno hefyd – eira ofnadwy, 'chan. Gwirfoddoli i bapur *Yr Efaill* ro'n i adag honno – yn fanno cychwynnis i ar fy ngyrfa.' Rhoddodd chwerthiniad bach atgofus. 'Ro'n i'n ffansïo fy hun yn dipyn o newyddiadurwr, ac yn cymryd *Yr Efaill* i fod yn fwy o'r *Herald* na phapur bro â deud y gwir, ond dyna ni, mi weithiais i fy ffordd i fyny. Chyrhaeddis i rioed Fleet Street fel y gwnei di, ond mi fues i'n ddigon ffodus i olygu'r *Chron*.'

'Wn i ddim am Fleet Street, wir ...' atebodd Mabli.

'Paid ti â bod mor siŵr, 'mechan i. Cofia 'mod i'n dal i ddisgwyl am ateb gan BBC Bangor ynglŷn â'r profiad ymchwil 'na i ti hefyd.'

Nodiodd Mabli. Roedd y syniad o weithio i'r BBC yn fwy o gymhelliad i orffen y stori hon am Jac Percy na dim arall. Petai'n gwneud sioe dda ohoni gallai dynnu sylw'r bobol iawn, ac efo geirda gan Arwyn, roedd cyfle da y gallai symud yn ei blaen. Ond roedd Glandon Richards newydd stwffio ei hun i ganol popeth, ac roedd yn rhaid ymchwilio i hynny. Gafaelodd Mabli yn y llyfr ffotograffau.

'Ia, y ffair,' meddai Arwyn gan gofio am y noson y tynnwyd y lluniau. 'Roedd gan Glandon ei stondin ei hun yno, i werthu'r llyfr 'ma.' Gafaelodd yn y llun ohono fo a Glandon. 'Dwi'n cofio cael tynnu'r llun yma efo fo.'

Arhosodd Mabli am fwy o'r stori.

'Doedd o ddim yn edrach yn fo'i hun. Doedd 'na ddim llawer ers i'w gariad o, Marilyn, ei adael o, a dwi'n cofio meddwl fod golwg 'di blino arno, fel petai o heb baratoi ei hun i ddod allan i ganol pobol. Doedd ei lyfr o ddim i'w weld yn gwerthu'n dda iawn chwaith, a doedd o ddim yn hapus ynglŷn â hynny. Dwi'n cofio'i holi fo ynghylch y peth.'

'Be ddeudodd o?'

'Dwi'm yn cofio 'chan, ond doedd ganddo fawr o fynadd efo fi,' chwarddodd. 'Ia, Glandon Richards. Tybed be ddigwyddodd iddo fo?'

* * *

Rhagfyr 12fed, 1983

Doedd ar Glandon ddim mwy o eisiau tywyllu'r Neuadd Goffa heno nag yr oedd o eisiau peltan ar draws ei wyneb. Roedd hi bron yn amhosib gweld y lôn drwy'r holl eira oedd yn cael ei chwalu o flaen ei gar, er bod sychwyr y ffenestr flaen yn chwipio mynd. Pwysodd ei droed dde i lawr ar y brêc yn sydyn pan gamodd criw o blant ifanc i'r lôn o flaen ei Gortina Estate brown golau, a chlywodd sŵn bocsaid o'i lyfrau'n disgyn yn y trwmbal. Cael a chael i stopio cyn eu taro ddaru o.

'Damia uffar! Dowch 'laen, wir Dduw, i mi gael cyrraedd y blydi lle 'ma!'

Ceisiodd atgoffa'i hun nad oedd wiw iddo ddangos ei ddiffyg amynedd heno o bob noson, ac yntau yno i werthu'i lyfr. Roedd arno angen i bob copi fynd fel y gallai gymryd hoe fach o dynnu lluniau ar gyfer y papur newydd.

Teimlodd yr oerni'n cau amdano wrth ddadlwytho'r car o flaen drws y neuadd, a chododd ei lawes er mwyn arbed yr eira rhag mynd i'w lygaid. Oedd, roedd y llyfrau'n blith draphlith ar hyd y trwmbal. Taflodd y cyfan yn ddiamynedd yn ôl i'r bocs cyn mynd i mewn i osod ei stondin.

Llanwodd y neuadd yn gyflym ar ôl i'r drysau agor i'r cyhoedd. Roedd pobol ddirifedi yno'n prynu, bargeinio, sgwrsio dros baned a phrynu rafflau. Prynodd nifer ohonynt lyfr Glandon hefyd, a bu'n sgwrsio efo hwn a'r llall am y gyfrol ymysg pethau eraill, er nad oedd arno fawr o awydd cymdeithasu. Gwnaeth ymdrech efo'r aelod seneddol gan mai hwnnw oedd wedi dod i agor y noson, cyn gweld Arwyn Thomas yn brasgamu tuag ato.

'S'mai, Arwyn?' Doedd gan Glandon ddim amynedd siarad efo hwn chwaith. Cyw bach gorawyddus oedd o, a gerddai o gwmpas y lle fel petai'n gweithio i un o bapurau Llundain yn hytrach na gwirfoddoli i bapur bro.

'S'mai Glandon? Sgwn i tybed fasach chi'n medru sbario rhyw funud i ateb chydig o gwestiynau am eich llyfr?'

'Ia, iawn.' Doedd hi'n ddim syndod i Glandon fod Arwyn yn siarad fel ei nain gan mai hi magodd o. Estynnodd y llanc ei lyfr nodiadau bychan a'i feiro, a bwrw iddi'n syth.

'Ydach chi'n hapus efo'r gwerthiant yma heno?'

'Yndw.'

'Tua faint ydach chi wedi'u gwerthu, dybiwch chi?'

'Dwn i'm ... tua dau ar bymthag, ballu.'

'Hmm. Fyddwch chi'n rhoi cyfraniad i'r Urdd heno o'ch elw?'

'Dwn i'm. Dwi angen y pres i dalu am gamera newydd. Am fynd am wylia bach ...'

Stopiodd y feiro yn stond. 'Be? Tydach chi ddim am roi ceiniog o'ch elw i'r Urdd?'

'Diawch, dwi'n talu teirpunt o rent am y stondin iddyn nhw'n barod!' brathodd Glandon.

Wnaeth Arwyn ddim holi mwy, dim ond dal i ysgrifennu a chau ei lyfr bach yn glep ar ôl rhoi'r atalnod llawn olaf ar y ddalen.

'Ew, diolch yn fawr i chi, Glandon.'

Wrth droi i fynd, tarodd Arwyn yn erbyn rhywun â chamera yn ei law. Nigel Roberts, Aberydd, a fynnodd dynnu llun o Arwyn a Glandon ger y stondin.

Arafodd gwerthiant y llyfrau wedi hynny. Roedd y neuadd yn dal i fod yn llawn, a sŵn chwerthin, cwpanau'n taro'n erbyn soseri a chadeiriau'n symud yn llenwi'r lle. Yna clywodd Glandon sŵn cloch. Edrychodd ar y cloc y tu ôl iddo – roedd hi'n amser i Siôn Corn gyrraedd. Rhedodd y plant at ochr y llwyfan a symudodd Deilwen Fawr at y piano er mwyn croesawu seren y sioe i'r llwyfan.

'Pwy sy'n dŵad dros y bryn yn ddistaw, ddistaw bach?' canodd y plant nerth esgyrn eu pennau, a gwelodd Glandon ei gyfle i ddianc i'r lle chwech. Yno, bu'n rhaid iddo aros i rywun ddod allan o'r ciwbicl. Clywodd gadwyn y lle chwech yn cael ei thynnu ac atsain y clo yn cael ei ddadfolltio. Pan agorwyd y drws, daeth het ddigamsyniol Jac Percy drwyddo, a'r dyn ei hun oddi tani.

'Dewadd, Glandon!' cyfarchodd Jac ef yn wresog. 'Dwi wedi bod yn trio gwneud fy ffordd at dy stondin di, i brynu copi o'r llyfr newydd 'ma ... ond mi ges i fy nal yn sgwrsio efo Greta Watts o'r lle gwerthu tai. Dwi'n chwilio am dŷ, weli di, ac yn meddwl y baswn i'n ei holi hi tra mae hi yma, yntê!'

'Be, mudo ydach chi, Jac?'

'Wel ia, gweld y tŷ 'cw yn rhy fawr o lawer i un ar ôl colli Janice, w'sti.'

'Ia siŵr,' atebodd Glandon. Doedd o byth yn siŵr iawn sut i ymateb i rywun fyddai'n sôn am eu profedigaeth.

'Rhentu wyt ti, ia, Glandon?'

'Ia, tŷ teras bach ... wel, tydi o'm yn fach chwaith. 6 Trem yr Ywen.'

'O, ia siŵr,' meddai Jac. 'Tai chwaral, fel llawer o'n strydoedd ni. Mi gafodd Trem yr Ywen ei henwi ar ôl y goeden hynafol sydd o'i blaen hi.'

'Tewch â sôn,' meddai Glandon yn goeglyd. Doedd arno ddim awydd clywed yr hanesydd wrth ei waith yn lle chwech y Neuadd Goffa, yn enwedig ac yntau ar fin byrstio.

'Mae'n debyg bod y goeden yn bodoli cyn i'r pentre gael ei sefydlu'n iawn, w'sti. Wrth gwrs, roedd 'na bobol yn byw yn yr ardal mewn anheddau ... tasat ti'n sbio ar restrau trethi Edward y Cyntaf yn ôl yn niwedd y drydedd ganrif ar ddeg, mae 'na ddau enw: Urien ac Arthur Ywennog ...' Roedd Jac ar fin trafod symboliaeth yr ywen i'r hen Geltiaid pan dorrodd Glandon ar ei draws.

'Ia ... y, sgiwsiwch fi, Jac, ma' raid i mi fynd i fama, 'lwch,' meddai, a gwthio heibio i'r hanesydd i'r ciwbicl gan gau'r drws ar ei ôl.

Erbyn iddo orffen roedd Jac wedi mynd. Doedd neb arall yn aros am gael defnyddio'r toiled chwaith, ac roedd y drws allanol ar gau. Roedd Glandon ar ei ben ei hun, yn edrych ar ei adlewyrchiad ei hun.

Yn y drych.

Aeth ias oer drwyddo. Gwyddai y dylai gamu'n nes ato er mwyn golchi'i ddwylo yn y sinc, ond doedd o ddim am fentro'n

nes at y gwydr. Yng nghanol yr holl fwrlwm Nadoligaidd roedd o
wedi llwyddo i anghofio pam yn union ei fod mewn tymer mor
ddrwg yn gadael y tŷ. Rŵan, wrth weld ei adlewyrchiad yn wyn
fel y galchen, cofiodd. Cyn iddo weld rhywbeth arall na fyddai'n
ei anghofio fyth, sleifiodd wysg ei ochr am y drws ac allan yn ôl
i ganol y bwrlwm.

* * *

'Wel, wel,' meddai Arwyn, wrth sylwi ar rywbeth arall eto fyth.
'Weli di'r het yna'n fanna, y tu ôl i'r ddynes go nobl 'na wrth y
piano?' gofynnodd, gan bwyntio at y dyn oedd yn ei gwisgo.

'Gwelaf,' meddai Mabli.

'*Hwnna* ydi Jac Percy,' meddai, fel petai wedi dod o hyd i
Wally yn y llun. 'Fyddai o byth heb ei het, w'sti.'

Hoeliodd Mabli ei sylw arno. Y dyn ei hun, meddyliodd, gan
edrych ymlaen i ddarganfod mwy amdano yn yr archifdy ymhen
deuddydd. Roedd hi wedi gweld nifer o luniau ohono ar y we
eisoes, ac wedi clywed ei lais ar raglen *Cofio* John Hardy ar
Radio Cymru yn ogystal.

'Ia, fo oedd yn byw yn y tŷ 'ma ddwytha, a diflannu ...'
Tawelodd llais Arwyn wrth iddo gyrraedd diwedd ei frawddeg,
fel petai'n sylweddoli rhywbeth. 'Dyna i ti ryfadd, yntê, Mabli?
Rydan ni wedi dŵad yma i chwilio am Jac Percy ac rydan ni'n
darganfod Glandon Richards. Be ydi'r cysylltiad rhwng y ddau,
tybed, ar wahân i'r ffaith fod y ddau wedi diflannu'n
ddisymwth?'

Anesmwythodd Mabli pan glywodd hyn. Roedd y gair
'diflannu' yn codi cyfog arni. Doedd Arwyn ddim yn gwenu
bellach chwaith, a bron na chlywai Mabli ei feddwl yn gweithio.
Yna, heb ddweud gair, cododd Arwyn a dychwelyd i'r stafell
dywyll am y trydydd tro. Daeth yn ei ôl yn cario hyd yn oed mwy
o luniau.

Fel ag y gwnaeth efo'r gweddill, rhoddodd y lluniau yn rhes ar y llawr. Ond doedd Glandon ddim yn y rhain. Doedd neb ynddyn nhw. Edrychodd y ddau ar y lluniau yn fud; edrych arnynt o un i'r llall, fesul un, o'r chwith i'r dde ac o'r dde i'r chwith.

'Lluniau o lawr grisiau ydi'r rhain!' meddai Arwyn yn ddryslyd. 'Pwy fyddai'n tynnu lluniau o ddodrefn stafell fyw?' Atebodd Mabli ddim. 'A be 'di hwn wrth ymyl y ddresel?' gofynnodd, gan bwyntio at rywbeth mewn fffrâm fawr.

'Drych,' meddai Mabli yn isel, fel petai arni ofn yngan y gair. Edrychodd Arwyn arni. Roedd hi'n swnio'n sicr iawn. Drych?

'Wel, Mabli, os mai *drych* ydi hwnna, lle mae adlewyrchiad pwy bynnag dynnodd y llun?'

* * *

Cael a chael i barcio'r car yn daclus yn yr eira o flaen ei dŷ wnaeth Glandon, a sgyrnygodd wrth gau'r drws yn glep ar y tywydd mawr y tu allan. Roedd o wedi llwyddo i ddianc o'r neuadd efo hanner llond bocs o'i lyfrau dan ei gesail heb i neb ei weld. Bu'n ysu am gael lluchio sawl wisgi lawr ei gorn gwddw ers iddo ddod o'r lle chwech hanner awr ynghynt.

Tynnodd ei sgarff a'i daflu'n flêr ar y soffa ar ei ffordd drwy'r stafell ganol am y gegin. Estynnodd y Famous Grouse a'r gwydryn bychan oedd am ei chaead o'r cwpwrdd, ac o fewn deng eiliad roedd ei lwnc wedi'i gynhesu. Tywalltodd un arall, un mawr, i'w yfed o flaen y tân yn y stafell ganol, a chydio yn y bocs matsys oedd ar garreg yr aelwyd er mwyn cynnau'r tân oer a osododd cyn gadael y tŷ. Wedi bodloni'i hun bod hwnnw'n clecian yn braf, aeth i eistedd, a meddwl.

Ceisiodd resymu pam ei fod o wedi cael yr ysfa i sleifio allan o ffair Nadolig y pentref. Fo oedd yr un fyddai'n aros tan ddiwedd pob digwyddiad fel arfer, yn sgwrsio, busnesu a thynnu lluniau …

a rŵan, doedd o ddim eisiau edrych ar gamera hyd yn oed. Roedd o'n brysur golli'i bwyll. Roedd o *wedi* colli'i bwyll, dyna'r gwir amdani. Rhwbiodd ei wyneb a theimlodd ei stwbwl. Aeth o allan heno heb siafio? Rhoddodd glec i'r wisgi.

Roedd hyn yn wirion. Roedd y camera yn rhan ohono, wastad wrth law. Nid Glandon oedd Glandon heb ei gamera. Nid swydd yn unig oedd tynnu lluniau iddo ond ffordd o fyw. Roedd o'n rhan o fywyd yr ardal. Onid fo oedd ffotograffydd enwoca'r ardal? Doedd dim cymhariaeth rhyngddo fo a'r ffotograffydd drama, Nigel Roberts, Aberydd. A be oedd hwnnw'n ei wneud yn y Neuadd Goffa heno, ar ei batsh o?

Llowciodd wisgi arall, a theimlodd ei bwysedd gwaed yn codi.

'Reit!' meddai gydag arddeliad, a chychwyn am y llofft. Aeth i mewn i'r stafell dywyll fechan a greodd ar gyfer datblygu lluniau – roedd ei gamera Nikon F3/T newydd ar y bwrdd lle'i gadawodd dridiau ynghynt, a'r ddau lun a ddatblygwyd ar yr un diwrnod yn hongian ar y llinyn. Cipiodd y lluniau o'u lle a gafael yn y camera cyn dychwelyd i lawr y grisiau. Dim ond ar ôl eistedd wrth y bwrdd y mentrodd edrych ar y ddau lun yn ei ddwylo. Rhain oedd wedi codi ofn arno yn y lle cyntaf.

'Ty'd yn d'laen, Richards,' meddai'n uchel, cyn dechrau troi'r wybodaeth yn ei ben.

Roedd wedi tynnu'r llun cyntaf wrth brofi fflach a chyflymder *shutters* ei Nikon newydd yn y stafell ffrynt – roedd o wedi cau'r llenni a sefyll o flaen y dresel a'r lle tân, gyda'r drych mawr ar y chwith iddo. Wrth dynnu'r llun, gallai weld ei hun yn glir yn y drych, ond pan ddatblygodd y llun doedd dim golwg ohono fo – dim ond y drych. Roedd o fel petai'r camera wedi tynnu'r llun ei hun heb i Glandon ei hun fod yn agos at y lle.

Roedd yr ail lun yn debyg iawn, ond y tro hwn roedd rhyw niwl rhyfedd wedi ffurfio yn y drych. Bu drwy bob posibilrwydd rhesymol: doedd o ddim wedi bod yn smygu, doedd dim mwg taro'n treiddio o'r stafell ganol, doedd dim byd o'i le ar y lens na'r prism a doedd dim o'i le ar y ffordd y datblygodd y lluniau yn ei stafell dywyll chwaith. Roedd y niwl yn edrych fel petai y tu mewn i'r drych gan nad oedd golwg ohono yn unman arall. Nid y tu ôl i'r drych, nid o gwmpas y drych, ond ynddo fo.

Rhoddodd y ddau lun i lawr wrth gofio iddo fynd i sefyll o flaen y drych ar ôl gweld y lluniau am y tro cyntaf. Edrychodd ar y drych o'i dop i'w waelod. Astudiodd ef yn fanwl. Dod efo'r tŷ wnaeth o – roedd o'n hen ac yn drwm ac yn sicr yn *antique*. Fyddai o byth yn dewis prynu rhywbeth tebyg ei hun, ond gan ei fod yno fe'i derbyniodd pan symudodd i'r tŷ, fel y gwnaeth efo'r dresel a llawer iawn o'r dodrefn eraill.

Erbyn hyn roedd y wisgi wedi mynd i'w ben, a dechreuodd wfftio at y drych ac ato'i hun am gael ei ddychryn. Gafaelodd yn y Nikon a thynnu'r cap oddi ar y lens. Am y canfed tro, edrychodd rhag ofn bod rhywbeth wedi'i hel arno. Doedd dim, ond mi chwythodd arno beth bynnag. Yna tynnodd y prism oddi ar y top rhag ofn bod baw ar hwnnw. Doedd dim. Gosododd y prism yn ôl.

Cododd oddi wrth y bwrdd ac aeth i'r stafell ffrynt. Rhoddodd olau'r ystafell ymlaen a sefyll yn herfeiddiol o flaen y drych. Pwyntiodd y camera ato a chlicio. Yna, ar ôl tynnu'r llun cyntaf, addasodd amser y *shutter* i 2000fed o eiliad, wedyn 500fed o eiliad, wedyn hanner eiliad, wedyn awtomatig.

'Cymera honna,' meddai, a chliciodd eto cyn mentro gam yn nes at y drych i dynnu llun arall. Gwenodd yn fuddugoliaethus arno'i hun, cyn i sylweddoliad ei daro. Roedd drych i fyny yn y llofft hefyd, wedi'i blastro i mewn i'r wal. Beth fyddai lluniau o'r drych hwnnw yn ei ddangos?

Rhedodd i'r llofft. Petai'n llwyddo i ddatblygu lluniau heno fyddai'n dangos dim o'i le, byddai'n mynd i'w wely'n ddyn hapus.

Wrth frysio i fyny'r grisiau, welodd o ddim fod ei adlewyrchiad ei hun wedi aros yn y drych, yn edrych arno'n llwglyd.

Tynnodd Glandon bum llun o flaen y drych yn ei stafell wely cyn rhuthro i'r stafell dywyll i'w datblygu.

Y peth cyntaf a wnaeth oedd edrych ar y thermomedr: un radd ar bymtheg. Damia! Roedd angen codi'r gwres bedair gradd. Aeth i lawr y grisiau i roi mwy o lo ar y tân, a thanio'r tân trydan bach er mwyn cyflymu'r broses. Caeodd y drws ac eistedd yn amyneddgar i'r stafell gynhesu.

O'r diwedd, pan oedd y thermomedr wedi cyrraedd y rhicyn cywir, mesurodd y cemegion angenrheidiol. Y datblygwr i ddechrau – llond hen gwpan – yna bron i ddeg gwaith cymaint o ddŵr i'w ganlyn. Yna'r llfostop, a'r dŵr i ganlyn hwnnw, a'r fficsar a'r dŵr eto i orffen. Estynnodd y thermomedr arall a'i osod i mewn yn yr hylifau fesul un. Ugain gradd selsiws. Perffaith. Gosododd y papur yn ei le ar y peiriant chwyddo. Yr unig beth oedd ar ôl i'w wneud rŵan oedd gosod y ffilm yn hwnnw, a datblygu'r lluniau.

Cofiodd iddo adael ei wisgi i lawr y grisiau felly aeth i'w nôl cyn dechrau ar ei broses. Taflodd ei gysur i gefn ei wddw, cyn diffodd y golau a'r tân trydan.

Doedd ymbalfalu â dwylo crynedig ddim yn hawdd yn y tywyllwch, ond diolchodd ei fod wedi hen arfer â'r dasg. Gwnaeth beth oedd raid efo'r peiriant chwyddo cyn rhoi'r golau coch ymlaen a gosod y llun cyntaf yn y cemegion, fesul un, yn ofalus. Yna, ei hongian efo peg ar y llinyn uwchben y ddesg. Rhaid oedd gwneud hyn bum gwaith, unwaith ar gyfer pob llun.

Eisteddodd am ennyd i orffen ei wisgi cyn rhoi'r golau mawr ymlaen. Cipiodd y llun cyntaf oddi ar ei beg gan duchan.

Bryd hynny y newidiodd holl bersbectif Glandon ar bopeth. Mae'n rhaid cyfaddef i'r wisgi leddfu mymryn ar y braw a gafodd, ond nid digon iddo beidio â bod eisiau rhedeg o'r tŷ i ganol yr eira a pheidio byth â dychwelyd.

* * *

'Ych, dwi isio chwydu!'

Gollyngodd Mabli y llun o'i llaw ac edrych draw ar Arwyn. Roedd wyneb hwnnw yn un o ddryswch ac anghredinedd llwyr. Ar y llawr o'u blaenau roedd twmpath o luniau, a'r drych oedd i lawr y grisiau yn yr ystafell ffrynt yn ymddangos mewn pump ohonynt.

Roedd y cyntaf a welodd y ddau yn ddigon rhyfedd, heb adlewyrchiad y ffotograffydd yn y drych, a meddyliodd Mabli ac Arwyn i ddechrau mai tric oedd o. Wedyn gwelodd y ddau lun o'r drych a hwnnw'n llawn o fwg, a gallai hwnnw fod wedi bod yn rhyw fath o dric hefyd, ond yn dilyn hwnnw daeth llun o Glandon ei hun yn sefyll yn y drych heb gamera yn ei law. Dim ond sefyll yno yn edrych i lygad y lens, fel petai. Yn fwy na hynny, roedd rhyw olwg oeraidd yn ei lygaid, fel petai ei gymeriad wedi diflannu'n llwyr. Dyna beth gododd ofn ar Arwyn. Roedd o wedi adnabod Glandon am flynyddoedd, ac nid fel'na roedd o'n edrych go iawn.

Caeodd Mabli ei llygaid rhag gweld mwy. Teimlodd awydd dirdynnol i redeg allan o'r tŷ cyn belled ag y cariai ei choesau byrion hi, ond doedd hi ddim am adael Arwyn yno ar ei ben ei hun.

Tu ôl i'r llun oeraidd o Glandon roedd pedwar llun arall. Symudodd Arwyn nhw efo'i fys fel y gallai eu gweld yn iawn – doedd o ddim am afael ynddyn nhw. Lluniau o rywle gwahanol oedd y rhain: eto, roedd Glandon yn sefyll efo'i gamera yn tynnu ei lun ei hun o flaen drych, ond roedd hwn yn ddrych gwahanol. Edrychai hwn fel petai'n rhan o wal.

'O ... na!' meddai Arwyn, wrth i arswyd ei lenwi.

Mentrodd Mabli agor un lygad i weld yr hyn roedd o'n syllu arno. Roedd adlewyrchiad Glandon yn y drych, yn tynnu ei lun ei hun, ond yn y llun hwn roedd delwedd arall o Glandon – yr un Glandon oeraidd ag a welsant yn y lluniau blaenorol. Roedd o'n sefyll reit y tu ôl iddo fo'i hun – nid yn edrych ar y camera y tro hwn, ond yn edrych ar y Glandon go iawn.

'Be ar wynab y ddaear ...?'

'Dwn i'm. Gawn ni fynd o 'ma, Arwyn? Fedra i ddim diodda mwy o hyn!'

Ond doedd gadael y tŷ ddim ar feddwl Arwyn. Roedd o eisiau dod o hyd i'r drychau.

'Yli, ty'd efo fi i lawr y grisia am funud bach, wnei di?'

Cododd Mabli heb feddwl ddwywaith a cherdded at ddrws y llofft. Gwibiodd heibio i'r stafell dywyll cyn rhedeg i lawr y grisiau, gan wrando i wneud yn siŵr bod Arwyn yn dod ar ei hôl. Stopiodd pan ddaeth wyneb yn wyneb â'r dodrefnyn mawr yng nghornel yr ystafell ffrynt oedd â chynfas wen drosto. Gwyddai'n iawn mai hwnnw oedd y drych yn lluniau Glandon, a gwyddai na ddylai ei ddadorchuddio ar boen ei bywyd. Ymunodd Arwyn â hi yng ngwaelod y grisiau a rhai o'r lluniau yn ei law.

'Wyt ti'n meddwl mai hwnna ydi'r drych yn y lluniau?' gofynnodd.

'Arwyn, dwi'm yn meddwl bod mynd i fanna i sbio'n syniad da. Plis gawn ni fynd o 'ma?'

Camodd Arwyn i gyfeiriad y celficyn gan edrych ar y llun o'r drych heb neb ynddo. Safodd o flaen y gynfas wen fel petai'n cymharu maint yr hyn oedd oddi tani â'r hyn oedd yn y llun.

Curai calon Mabli fel gordd wrth sylweddoli beth oedd ar ei feddwl.

'Arwyn,' meddai mewn llais crynedig, 'camgymeriad mawr fasa tynnu'r gynfas 'na oddi ar y drych. Plis, peidiwch.'

Ond chlywodd Arwyn mohoni. Estynnodd ei law tuag at dop y dodrefnyn, yn barod i'w ddadorchuddio. Gollyngodd Mabli ei hun ar ris isaf y grisiau. Doedd ganddi ddim egni i'w chynnal ei hun. Rywsut, gwyddai fod rhywbeth annaearol ar fin digwydd, ond allai hi ddim gadael i Arwyn wynebu hynny ar ei ben ei hun.

Dadorchuddiodd Arwyn y drych.

* * *

Deffrodd Glandon â hanner ei gorff ar y landin a'i goesau y tu mewn i'r stafell dywyll. Roedd hi'n dal yn nos. Sylweddolodd fod ei ben yn drybowndian, a chofiodd pam iddo lewygu yn y lle cyntaf. Roedd rhyw felltith wedi ei daro, ac ni wyddai pa dro gwael a wnaeth i haeddu cael y fath ddrychiolaeth yn tarfu ar ei fywyd.

Gwrandawodd yn astud. Doedd dim smic i'w glywed yn y tŷ, dim ond sŵn y gwynt y tu allan. Ceisiodd feddwl pa ffordd fyddai'r gyntaf i adael: roedd y car o flaen y tŷ, ond ei allweddi ym mhoced ei gôt yn y stafell ffrynt.

Heb feddwl ddwywaith, baglodd i lawr y grisiau, cipio'i gôt oddi ar y soffa a'i heglu hi drwy'r drws heb aros i'w gau ar ei ôl.

Rhegodd wrth ymbalfalu am ei oriadau, a rhegi drachefn wrth fethu â rhoi'r allwedd briodol yn nhwll clo drws ei gar. O'r diwedd, teimlodd y goriad yn llithro i'w le, a lluchiodd ei hun i sedd y gyrrwr. Ar ôl tanio'r injan pwysodd ei droed dde i lawr a throi'r llyw, ond symudodd y car ddim wrth i'r olwynion droi yn yr unfan.

Roedd y car yn sownd yn yr eira. Rhegodd eto. Taflodd gipolwg ofnus ar y tŷ a'r drws agored. Roedd yn rhaid iddo ddianc. Dringodd allan o'r car a dechrau cicio'r eira oedd yn dal yr olwynion yn eu lle, gan gofio'n sydyn am y rhaw oedd wrth giât yr ardd a defnyddio honno i balu fel dyn gwyllt. Ceisiodd symud y car eto, gan bwyso hynny allai ar y sbardun nes y daeth arogl llosgi i'w ffroenau.

Aeth allan i balu unwaith yn rhagor, ond i ddim diben.

'Wyt ti'n cael traffarth Glandon?'

Neidiodd allan o'i groen pan welodd Katie drws nesaf yn sefyll wrth ei ochr yn ei chôt a'i chap.

'Argol! Ti'n edrach fel tasa 'na rywun am hanner dy ladd di 'chan!' meddai, a chodi ei phen i weld y drws ffrynt yn agored led y pen. 'Wyt ti'n iawn, Glandon?'

Sadiodd Glandon ryw fymryn wrth feddwl sut i ymateb i'w

gymdoges. Rhedodd ei fysedd trwy ei wallt i'w hel o'i wyneb ac edrychodd ar ei dŷ.

'Pryd ddoist ti'n ôl o ffair yr Urdd? Welis i chdi yno'n gwerthu dy lyfra,' meddai Katie, â thinc amheus yn ei llais. Pan nad atebodd Glandon, parhaodd i siarad. 'Yli, mi a' i i gau dy ddrws ffrynt di, ac mi gei di ddŵad acw am banad.'

'Y … na, dim diolch, Katie.' Doedd ar Glandon ddim awydd gweld Edwin a holl deulu Katie ac yntau yn y fath stad.

'Wel, gad i mi ferwi'r teciall i ti, 'ta,' meddai gan frasgamu tuag at ei ddrws ffrynt. Doedd ar Glandon ddim awydd mynd yn ôl i'r tŷ, ond teimlai rywfaint yn saffach efo rhywun arall yno. Cododd yn araf o'r car a'i dilyn i'r tŷ, gan godi'r rhaw ar ei ffordd.

Clywodd Katie yn llenwi'r tegell o dap y gegin, a rhuthrodd drwy'r ystafell ffrynt heb edrych ar y drych, ac i'r ystafell ganol. Rhwbiodd ei lygaid wrth eistedd i lawr wrth y bwrdd bwyd.

'Wyt ti'n teimlo'n iawn, Glandon?' gofynnodd Katie drachefn. Ni wyddai Glandon sut i'w hateb. 'Clywad y car wnes i, a meddwl dy fod yn cael traffarth ...' Dim ateb eto. 'Yli, mi ro' i dipyn o siwgwr yn dy banad di ... ti'n edrach yn giami braidd,' ychwanegodd, a throi yn ôl am y gegin.

Pan ddaeth yn ôl efo'r baned, cymerodd Glandon gegaid reit dda ohoni.

'Fysat ti'n licio i mi aros efo chdi am sbel?'

'Na, mi fydda i'n iawn rŵan 'sti, Katie. Diolch i ti 'run fath.'

Caeodd ei gymdoges y drws ffrynt ar ei hôl gan adael Glandon ar ei ben ei hun yn y tŷ. Oedd, roedd o'n teimlo rywfaint yn well ar ôl iddi fod draw – roedd hi'n reit neis cael dynes o gwmpas y tŷ eto, meddyliodd, cyn sobri wrth gofio digwyddiadau'r noson. Oedd o wedi dychmygu'r cyfan? Gorymateb?

Wnaeth o ddim llwyddo i dawelu ei feddwl. Penderfynodd fod yn rhaid iddo wneud tri pheth er mwyn gallu ymlacio yn ei gartref ei hun, ac os oedd hynny'n golygu bil gan Catherine

Williams, ei landledi, am falurio'i dodrefn, byddai'n hapus i'w dalu.

Yn gyntaf, aeth i'r stafell ffrynt. Camodd at y drych a cheisio'i droi fel ei fod yn wynebu'r gornel, ond ni allai ei symud. Yna ceisiodd ei ysgwyd yn ôl ac ymlaen, ond i ddim diben – roedd y drych fel petai wedi cael ei hoelio i'r llawr. Y gorau y gallai ei wneud oedd taflu planced drosto.

Yna, yn hanner bodlon, gafaelodd yn y rhaw a adawodd wrth y drws ffrynt a dringo'r grisiau i'w stafell wely. Penderfynodd y byddai'n cysgu yn yr ystafell arall y noson honno, ond roedd un peth yn sicr – os mai'r drych oedd y broblem, roedd yn rhaid cael gwared arno. Camodd yn ddewr i mewn i'r ystafell a'r rhaw yn ei law, a sefyll o flaen y drych.

Cymerodd eiliad i sadio'i hun cyn codi'r rhaw heibio'i ben a'i hyrddio tuag at y gwydr. Ond yn hytrach na chwalu'r drych yn deilchion, sbonciodd y rhaw yn ôl. Cododd Glandon y rhaw yn uwch a'i hyrddio eto, ond i ddim diben. Adlamodd oddi ar wyneb y drych heb adael marc arno.

Doedd hyn ddim yn gwneud synnwyr. Roedd rhywbeth annaearol ynglŷn â'r drychau, ac roedd yn rhaid eu dinistrio. Taflodd ei hun yn erbyn y drych a daeth rhywfaint o'r plastr oedd o'i gwmpas yn rhydd. Gwenodd Glandon – gallai ei dynnu allan o'r wal! Gafaelodd yn y rhaw unwaith eto a'i hanelu at y wal, a daliodd ati i guro nes bod darnau mawr o blastr sych a llwch wedi hel rownd ei draed.

Yn fuan iawn, sylweddolodd Glandon fod fffrâm bren gerfiedig, yn union fel yr un o gwmpas y drych arall, y tu ôl i'r plastr, a bod y cyfan wedi'i osod mewn hen le tân. Roedd y ddau yr un fath.

Gwylltiodd Glandon.

'Ty'd o 'na 'ta'r basdad!' sgyrnygodd, ac yn ei dymer llwyddodd i'w rwygo'n llwyr oddi wrth y wal.

Roedd y drych bellach yng nghanol y llawr wrth droed y

gwely. Doedd rhaw ddim yn ddigon i'w falu – byddai'n rhaid iddo ddefnyddio'i fwyell fawr. Rhedodd i lawr i'r ardd i'w nôl, ond pwyllodd ar ei ffordd yn ôl i fyny, gan droedio'n ofalus, fesul gris, i ben y landin. Pasiodd y stafell ymolchi, pasiodd yr ystafell dywyll a'i lofft sbâr, a daeth at ddrws ei lofft. Roedd y llwch wedi setlo rhywfaint o gwmpas y dodrefnyn bygythiol, a gwelodd faint o olwg oedd ar y lle.

Cododd y fwyell a'i hyrddio at y drych, ond chafodd hynny ddim effaith. Ceisiodd eilwaith, yn ofer, cyn troi ei sylw ar y ffrâm bren yn hytrach na'r gwydr. Fyddai hwnnw'n malu, tybed? Tarodd ei ochr dde gan ddisgwyl y byddai'r drych yn symud i'r chwith, ond yn lle hynny, gwelodd ei adlewyrchiad gwallgof yn chwifio'r fwyell tuag ato'i hun.

*　*　*

'Hwn ydi o, 'sti,' meddai Arwyn, yn sefyll o flaen y drych yn y parlwr ffrynt. Ar ôl ei astudio am sbel sylwodd fod Mabli yn eistedd ar waelod y grisiau a'i phen yn ei dwylo fel petai mewn poen. 'Be sy matar arnat ti?'

'Plis, Arwyn, gawn ni fynd o 'ma?'

'Duwcs, paid â siarad yn wirion! A sbia!' ychwanegodd, gan bwyntio at un o'r lluniau eraill yn ei law. 'Mae'r drych yn y llun yma'n un gwahanol, ac yn edrych fel tasa fo mewn rhan arall o'r tŷ ...' Oedodd cyn dweud y geiriau nesaf. '... y llun sy'n dangos dwy ddelwedd wahanol o Glandon ynddo fo.'

'Hyd yn oed os ydach chi'n iawn, be sydd i ddeud fod y drych hwnnw'n dal yma?' gofynnodd Mabli, gan obeithio na fyddai'n mynnu mynd i'r llofft ffrynt i chwilio amdano.

'Wel, diawch, mi oedd yr holl luniau 'ma yma, yn toeddan, ers yr holl flynyddoedd? A'i gamera fo? Ac os ydi'r drych acw yn dal yma, siawns nad ydi'r llall.'

'Peidiwch â mynd i sbaena i fyny'r grisia, plis Arwyn,'

plediodd arno, ond roedd o bellach wedi cerdded at waelod y grisiau. 'Arwyn, ddaw dim da o hyn, dwi'n addo i chi. Pam nad awn ni i'r archifdy rŵan yn lle dydd Iau, i chwilio am hanes Jac Percy?' Gobaith Mabli oedd y byddai atgoffa Arwyn o'u bwriad gwreiddiol yn newid ei feddwl, ond roedd hanes Glandon wedi cydio yn ei ddychymyg. Safodd ar ei thraed – byddai'n rhaid i Arwyn ei gwthio o'r ffordd os oedd o am ddringo'r grisiau.

'Dos di adra os leci di, ond fedra i ddim mynd o 'ma heb chwilio am y drych arall. Dos o fy ffordd i!'

'Na wnaf, Arwyn. Fedra i ddim gadael i chi basio.' Sylwodd Mabli ar newid yn ei natur. Doedd o ddim yn siarad fel Arwyn bellach – roedd yr Arwyn roedd hi'n ei adnabod yn addfwyn ac yn bwyllog ei dymer, a'r dyn a safai o'i blaen rŵan yn swta ac yn annifyr. Roedd rhywbeth wedi digwydd iddo.

'Wel, rhyngthat ti a dy betha!' brathodd Arwyn wrth wthio heibio iddi a brasgamu i'r llofft. Fedrai Mabli ddim ei ddilyn, ond gallai glywed sŵn ei draed uwch ei phen yn cerdded ar draws y landin ac yn agor drws y llofft ffrynt. Tawelwch am ysbaid cyn iddo gamu i'r llofft – oedd o'n edrych o'i gwmpas? Yna, camau araf ar y llawr pren uwch ei phen. Gwyddai Mabli y byddai'n stopio wrth iddo gyrraedd y canol. Fanno roedd y drych. Roedd hi'n gwybod hynny.

Clywodd gamau Arwyn yn amgylchynu'r drych dro ar ôl tro, a sylweddoli ei bod yn dal ei gwynt.

'Siawns nad ydach chi wedi cael golwg reit dda arno fo erbyn rŵan, Arwyn?' galwodd i fyny arno toc. 'Pam na ddowch chi i lawr? Awn ni am banad ...'

Pan atebodd Arwyn hi mewn llais rhyfedd o galed, sylweddolodd Mabli ei bod wedi colli'r frwydr.

'Iesu, Katie, stopia ffysian, wir Dduw, ti 'di bod yma'n gwneud blincin panad unwaith – dos i wneud swpar i dy deulu. Maen nhw'n siŵr o fod ar lwgu bellach!'

Katie? Pwy oedd honno? Dechreuodd anadl Mabli gyflymu.

Pwy bynnag oedd hi, doedd hi ddim yn y llofft efo Arwyn, yn gorfforol, beth bynnag. Gwelodd gip ar ei hadlewyrchiad yn y drych mawr ym mhen pellaf yr ystafell ffrynt a lledodd oerfel drwyddi. Ysai i daflu'r gynfas wen dros y gwydr, ond doedd fiw iddi fynd yn agos ato. Roedd ei hisymwybod yn dweud wrthi na ddeuai da o'i adael fel yr oedd o, ond doedd hi ddim yn cofio mwy na hynny. Oedd rhywun wedi dweud wrthi am gadw'n glir oddi wrth y drych, tybed?

Roedd yn rhaid iddi wneud rhywbeth.

Camodd yn araf tuag at y drych, gan wylio'i hadlewyrchiad ei hun yn camu tuag ati. Dilynodd ei llygaid batrymau troellog, deiliog y ffrâm bren – roedd hi o fewn teirllath iddo erbyn hyn ac o fewn teirllath i'w hadlewyrchiad ei hun. Dim ond codi'r gynfas a'i thaflu drosto oedd raid. Dim ond gafael yn y defnydd a'i osod yn ofalus, fel mam yn gosod planced dros ei phlentyn amser gwely.

Plygodd i afael yn y gynfas, fel y gwnaeth ei hadlewyrchiad, a'i chodi o'i blaen wrth gymryd cam arall tuag at y celficyn.

'Ty'd oddi wrth hwnna'r munud 'ma!'

Sgrechiodd Mabli dros y tŷ. Roedd dyn tal mewn côt hir ddu newydd chwyrlïo i mewn i'r ystafell ac yn brasgamu tuag ati. Gafaelodd y dyn yn ei braich a'i llusgo yn nes.

Safodd y ddau yno'n syllu'n wirion ar ei gilydd; fo am iddo fod o fewn trwch blewyn i'w cholli hi, a hithau am ei bod newydd ei adnabod.

'B... Baltws,' meddai.

'Damia chdi, hogan!' ceryddodd Baltws hi, gan ddal ei afael ynddi â'i ddwylo cadarn cyn ei sodro ger drws yr ystafell a'i dal yno am eiliad neu ddwy i sicrhau ei bod yn deall mai yno roedd hi i aros. Cael a chael wnaeth o i'w chyrraedd mewn pryd, ystyriodd.

'Arwyn?' gofynnodd Mabli iddo gyda llygedyn bychan o obaith yn ei llygaid a'i llais.

Ysgydwodd Baltws ei ben. 'Mae o 'di mynd,' meddai'n dawel, gan atgoffa Mabli o eiriau'r doctor pan gollodd ei thad. Dechreuodd grio; crio'n union fel y gwnaeth y prynhawn hwnnw dair blynedd yn ôl, â chefn ei llaw dros ei cheg fel petai'n trio stopio'r sŵn, ond yn methu. Doedd dim i'w dal i fyny ond y wal tu ôl iddi a'i choesau blinedig.

Er y gallai weld ei bod wedi cael ysgytwad, bodlonwyd Baltws fod Mabli yn saff. Cyn gorchuddio'r drych cymerodd hanner eiliad i edrych arno – gallai weld Mabli ynddo, yn syllu allan i'r ystafell fyw â llygaid milain. Roedd Arwyn yno hefyd, yn troi yn ei unfan ac ar goll yn llwyr, yn union fel y ddau druan arall oedd yno efo fo.

Trodd Baltws ei ben ymaith a thaflu'r gynfas yn ddiseremoni dros y drych. Doedd dim siawns y byddai'n gadael iddo lyncu Mabli fel rhyw ysglyfaeth – nid heddiw. Caeodd y drws ar y byd arall ... am ryw hyd.

Y tu ôl iddo, syrthiodd corff Mabli yn swp ar y llawr. Roedd ei bresenoldeb yn dal i gael yr effaith hwnnw arni. Da iawn, meddyliodd. Roedd hi'n hollbwysig bod ei meddwl yn cau cyn i'r Drychwll aflan gael gafael arno.

Cymerodd eiliad i feddwl am yr hyn oedd newydd ddigwydd. Oedd, yn anffodus, roedd enaid arall newydd gael ei ddwyn gan y drychau yn y tŷ ond fe lwyddodd Baltws i wneud ei waith yn rhannol, a dal ei afael yn Mabli.

Dydd Sul, Hydref 25

'Siocled poeth efo *marshmallows* a darn o frowni, plis Glenda.' Archebodd Mabli'n ddi-ffrwt wrth sefyll wrth gownter ei hoff gaffi.

'Noson ryff?' gofynnodd Glenda Wyn, gan sylwi ar yr olwg anarferol o flêr oedd ar Mabli, a'r cylchoedd mawr du o dan ei llygaid cochion.

'Y? Nag oedd!' atebodd y ferch yn amddiffynnol, ond gwyddai'n iawn pam y gofynnodd Glenda Wyn hynny iddi. Doedd hi ddim yn edrych ar ei gorau o gwbwl, ond o leia roedd ei stumog wedi dod ato'i hun erbyn hyn, ystyriodd, gan iddi ddeffro'r bore hwnnw'n breuddwydio am un o frownis Glenda Wyn. Roedd hi'n gwella, mae'n rhaid, ar ôl treulio'r diwrnod cynt yn ei gwely efo gwres a dryswch.

'Gwaith yn pwyso arna i fwy nag arfer, dyna i gyd,' meddai, gan geisio swnio'n ddi-hid.

''Sgin ti'm cwmni heddiw, dwi'n gweld,' meddai Glenda'n awgrymog.

Fel arfer ar ddyddiau Sul, byddai Mabli'n dod i'r caffi yng nghwmni Sera, ei ffrind gorau, ond doedd Glenda ddim wedi gweld honno ers rhai dyddiau. Erbyn meddwl, doedd hi ddim wedi gweld Seimon, cyd-weithiwr Mabli, ers dros wythnos chwaith. Ond wnaeth y ferch ifanc ddim ymateb i'r proc am wybodaeth.

'Dos i ista i lawr – ddo i â nhw draw i ti,' meddai Glenda o'r diwedd.

Penderfynodd Mabli eistedd yng nghornel bellaf y caffi, allan o olwg y ffenestr rhag i neb ei gweld, a rhag i Glenda holi mwy arni. Estynnodd ei ffôn rhag ofn bod Arwyn wedi gyrru neges ati ynglŷn â'u hymweliad arfaethedig â 6 Trem yr Ywen ymhen deuddydd. Dim negeseuon – gan Arwyn na neb arall.

Gresynodd nad oedd Sera yno, iddi gael bwrw'i bol wrthi am y sefyllfa wallgof roedd hi ynddi. Ond doedd Sera ddim yno, ac ni allai Mabli yn ei byw â chofio lle roedd hi. Ddwedodd hi ei bod hi'n mynd i ffwrdd am ychydig ddyddiau? Chofiai Mabli ddim, ac roedd yn deimlad anghyfforddus.

Meddyliodd pwy allai hi ffonio – nid Sera na Seimon, gan nad oedd yr un o'r ddau yn ateb eu ffonau – ond yr eiliad honno, crynodd ei ffôn yn ei llaw. Neges destun gan fam Sera: 'Haia Mabli! Sgin t syniad lle mae Sera? Methu cael gafael arni ers dyddiau. Diolch, J x'.

Rhyfedd.

* * *

Dyma besgi anhrugarog,
Annhosturi fel y lli,
Hogan ifanc bur yn syrthio,
Syrthio i'w thranc i'm hachub i.
Fi a'm natur analluog,
Chwydwyd allan heb 'run clod.
Hi a'u cadwasant nes a'n ango
Tra bo'r Drychwll du yn bod.

Tra oedd Mabli yn y caffi roedd Baltws wedi mynd i 6 Trem yr Ywen ar ei ben ei hun. Eisteddai wrth ffenestr y llofft ffrynt yn astudio nifer o bapurau crimp oedd â lluniau a phenillion wedi'u llunio arnynt mewn llawysgrifen hardd, hynafol. Daethai o hyd iddynt ym mhen draw un o gypyrddau'r llofft. Roedd o newydd ddarllen un o'r penillion – ni wyddai pwy a'i hysgrifennodd na phwy oedd y ferch, ond gwyddai'n iawn am *beth* yr oedd yn sôn. Yr hyn drawodd Baltws oedd bod awdur y geiriau'n gwybod ei enw. Drychwll. Sut ar wyneb y ddaear y gwyddai o – neu hi – yr enw hwnnw? Doedd Baltws erioed wedi dod ar draws neb arall ar y ddaear hon, nac yn yr un byd arall petai'n dod i hynny, a wyddai'r enw ar y dimensiwn erchyll hwn oedd yn tarfu ar bobol. Darllenodd ymhellach.

Pererin fûm mewn anial dir
Yn gwingo â phob traw,
Ond taflwyd fi o'r affwys du,
Mae'r Drychwll, nawr, gerllaw.

Meddyliodd Baltws yn galed. 'Taflwyd fi o'r affwys?' Oedd 'affwys' yn cyfeirio at y Drychwll? Darllenodd bennill arall.

Wele'n sefyll mewn ynfydrwydd
Wrthrych annwyl o fy myd,
Hi – addfwynaf o'm cydnabod,
Na chaiff weld gwrthrychau'r byd.
Dued fore, gweled gwingo enaid bur.

Doedd y rhain ddim yn gwneud llawer o synnwyr, a phan edrychodd Baltws ar weddill y papurau yn y cwpwrdd, yr un penillion oedden nhw, wedi cael eu sgwennu drosodd a throsodd. Ar y papurau hefyd roedd llun abstract o'r drych ei hun, ac amlinelliad o ferch yn ei ganol yn gafael yn ei phen. Ai hi oedd yr 'enaid bur' yn y pennill? Neidiodd ei feddwl at Mabli, cyn ceisio troi ei ffocws yn ôl at y papurau. Dod yno wnaeth o, wedi'r cyfan, i geisio dysgu mwy am y Drychwll ei hun, a doedd poeni am Mabli ddim yn mynd i'w helpu yn hynny o beth.

Pan anwyd Baltws yng Ngalaeth Gwrthrych Meial, clwstwr Ursa Fwyaf, seliwyd ei ffawd yn syth. Ei orchwyl, tra byddai, oedd gweithio yn erbyn y Drychwll ac atal eneidiau rhag syrthio i'w tranc drwyddo. Gorau oll os y llwyddai i'w hachub allan ohono ar ôl iddynt syrthio iddo, ond wrth deithio o un alaeth i'r llall ar drywydd y Drychwll, daeth Baltws i ddeall mai haws oedd colli eneidiau i'r Drychwll na'u hachub ohono.

Roedd o wedi dysgu llawer a defnyddio sawl tacteg i geisio'i ddinistrio. Er mwyn gweithio, roedd yn rhaid i'r Drychwll ymffurfio mewn rhywbeth oedd yn creu adlewyrchiad, ac roedd yn rhaid cael dau ohonynt. Unwaith, ar blaned greigiog Berenig yng Ngalaeth Messier, darganfu Baltws fod y Drychwll wedi ymffurfio mewn dau lyn llonydd o boptu craig. Roedd y llecyn yn sanctaidd gan drigolion y blaned ymhell cyn i'r Drychwll setlo yno, a theithiai miloedd yno ar bererindod. Dyna pam y dewisodd y Drychwll y safle.

Traddodiad planed Berenig oedd bod pawb yn cerdded at y graig sanctaidd o ochr y llyn deheuol, mynd drwy'r twnnel yn ei gwaelod, a gadael y safle heibio'r llyn gogleddol. Pe bydden nhw'n mynd yn ddigon agos at y llyn deheuol byddai eu hadlewyrchiad yn ffurfio ar wyneb y dŵr – ac roedd hynny'n ddigon i alluogi'r Drychwll i'w meddiannu a'u tynnu i mewn i'r llyn gogleddol yn garcharorion.

Collwyd trigolion Berenig un ar ôl y llall yn ddyddiol i'r llyn gogleddol, a thybiai rhai mai pŵer y graig a achosai iddynt daflu eu hunain i'w ddyfroedd. Ni fentrai neb eu hachub oherwydd sancteiddrwydd y safle, felly aent oll yno fel ŵyn i'r lladdfa a doedd gan Baltws ddim gobaith o'u hatal. Baltws hefyd oedd yr unig un a allai eu gweld yn symud yn ddigyfeiriad yn y llyn, a'u hadlewyrchiadau yn eu dilyn o gwmpas fel seirff.

Ceisiodd blymio i'r llyn i achub ambell un ar y dechrau, ond gan nad oedd ganddo fynediad i'r dimensiwn a grëwyd gan y Drychwll, ni allai ganfod neb yn y dŵr. Daeth yn amhoblogaidd ymysg y trigolion yn ogystal am amharu ar eu safle sanctaidd, fel nad oedd gobaith y byddent yn gwrando ar ei gyngor i gadw draw.

Yna, un noson, penderfynodd geisio gwagio'r llyn isaf fesul pwcedaid. Bu wrthi'n ddyfal nes ei fod yn gwegian â straen yr holl waith, ond wrth iddi wawrio sylweddolodd ei gamgymeriad. Wrth wagio'r llyn llwyddodd i chwalu'r dimensiwn a grëwyd gan y Drychwll yn y dŵr, a chododd pob un a feddiannwyd ganddo i wyneb y llyn uchaf yn gelain. Oedd, roedd Baltws wedi llwyddo i ryddhau'r cyrff o'u carchar, ond daliwyd gafael ar eu heneidiau fel bod y cyfan yn ofer. O'r diwrnod hwnnw ymlaen, penderfynodd Baltws y byddai'n rhaid iddo ddod i ddeall y Drychwll yn well cyn y byddai ganddo obaith o'i ddinistrio.

Wrth i'r oesau wibio heibio, darganfu Baltws ei fod yn gallu synhwyro'r Drychwll drwy'r egni negyddol oedd yn treiddio ohono, a dechreuodd ei ddilyn hwnt ac yma ar hyd y bydysawd drwy neidio drwy borthyllau. Synnodd mor hawdd oedd hynny iddo. Yn raddol, dechreuodd ddeall pam ei fod wedi cael ei ddewis ar gyfer y gwaith hwn. Cyn hir, synhwyrodd fod y Drychwll wedi ymffurfio ar y Ddaear, ac aeth yno ar ei union.

A dyma fo, mewn tŷ teras yn Nghymru yn sefyll o flaen ffenestr llofft yn ceisio gwneud pen a chynffon o benillion oedd yn amlwg am y Drychwll.

Cerddodd oddi wrth y ffenestr i wynebu'r drych mawr oedd ar ganol llawr y llofft, gan dynnu'r gynfas oddi arno. Gwelai weddill yr ystafell yn adlewyrchiad y drych ond ni allai ei weld ei hun, gan nad oedd ganddo adlewyrchiad. Dyna sut y gallai weithio yn erbyn y Drychwll, ond ni wyddai Baltws bellach ai bendith ynteu melltith oedd hynny.

* * *

Cyrhaeddodd browni a siocled poeth Mabli, a gwenodd wrth weld bod Glenda wedi rhoi mwy nag arfer o falws melys ar ben y ddiod. Wrth stwffio'r darn cyntaf o'r gacen i'w cheg dechreuodd droi digwyddiadau'r wythnos yn ei meddwl – hynny y gallai ei gofio ohonynt, beth bynnag. Roedd Sera wedi diflannu ers tridiau, a doedd hi ddim hyd yn oed yn ateb negeseuon. A beth am Seimon? Roedd hwnnw wedi mynd ers dros wythnos, a doedd dim o'i hanes ar y cyfryngau cymdeithasol hyd yn oed, oedd yn rhyfedd iawn o ystyried ei fod yn byw ei fywyd ar Instagram, fwy neu lai.

Y tro diwethaf y gwelodd hi Seimon oedd yn swyddfa'r papur. Gyrrodd neges Whatsapp iddo y diwrnod hwnnw yn awgrymu ei bod hi'n bwriadu torri i mewn i Drem yr Ywen, gan obeithio y deuai yno efo hi. Er mai ei stori hi oedd stori Jac Percy, doedd hi ddim yn malio i Seimon gadw cwmni iddi yno. Fuasai hi ddim yn ystyried Seimon yn gariad iddi, ond roedd hi'n mwynhau ambell noson yn ei gwmni, a'r teimlad hwnnw oedd yn danfon cerrynt trydanol i lawr ei hasgwrn cefn pan oedd hi yn ei gwmni.

Yn sydyn, cofiodd Mabli ei bod wedi gwneud nodiadau ar ei ffôn. Tybed a oedd rhywbeth yn y rheiny allai ddeffro'i chof a'i harwain ar drywydd y ddau?

* * *

Gan na allai Baltws weld ei adlewyrchiad ei hun roedd o'n saff rhag drych y Drychwll, ond daeth yn amlwg iddo fod sawl un o drigolion 6 Trem yr Ywen wedi syrthio i'w ddyfnderoedd.

A dyna godi cwestiwn arall. Pam Caerfai? Pam Trem yr Ywen yn hytrach na'r Stryd Fawr neu Stryd yr Ysgol? Pam 6 Trem yr Ywen yn hytrach na'r tŷ drws nesaf? Doedd Baltws ddim yn deall, ond roedd yn benderfynol o ddatrys y dirgelwch unwaith ac am byth. Cerddodd yn ôl at y ffenestr i bendroni.

Gwyddai fod y Drychwll yn goroesi drwy besgi ar eneidiau. Er mwyn cipio eneidiau, roedd yn rhaid cael dau declyn o'r un deunydd i ffurfio adlewyrchiad: dwy ffenestr, dau gorff o ddŵr neu ddau ddarn o fetel sgleiniog, llyfn. Yn achos y tŷ hwn, dau ddrych mawr.

Pan safai rhywun o flaen un o'r drychau, byddai adlewyrchiad ohonynt yn ffurfio ynddo. Dyna'r cam cyntaf. Y munud y byddai adlewyrchiad y person hwnnw'n ffurfio yn y drych, yn ddiarwybod iddo, roedd y Drychwll yn dechrau rheoli ei gorff a'i feddwl. Canlyniad hynny oedd y gallai'r Drychwll ddylanwadu ar yr unigolyn hwnnw i sefyll o flaen yr ail ddrych – hwnnw oedd â'r gallu i amsugno'r person yn ei grynswth i mewn i'r Drychwll. A dyna ni. Roedd hi mor hawdd â hynny. Byddai cymal cyntaf y cipio wedi ei gwblhau, yn barod at y cymal nesaf, sef amsugno'r enaid yn ddim.

Penderfynodd Baltws fynd i lawr y grisiau i archwilio'r drych arall.

* * *

Sylwodd Mabli fod sawl ap yn agored ganddi ar ei ffôn. Doedd ryfedd felly fod ei fatri'n isel. Caeodd bob un ar ôl edrych ar Whatsapp. Na, doedd dim byd yno heblaw ei neges hi ei hun at Seimon yn dweud wrtho am ei chyfarfod yn 6 Trem yr Ywen. Dim bawd i fyny, dim emoji, dim gair, a hynny ers dros wythnos.

* * *

Ac yntau'n sefyll o flaen y drych yn ystafell ffrynt y tŷ, gallai Baltws weld adlewyrchiad yr ystafell y safai ynddi, a delweddau merch a dyn ifanc, i mewn yn y drych. Roedd y dyn ifanc – Seimon, tybiodd Baltws – yn eistedd a'i gefn yn erbyn wal y dresel, ei ddau benelin wedi'u lapio am ei bengliniau a'i ben yn ei ddwylo, fel petai wedi anobeithio'n llwyr. Roedd y ferch ifanc – Sera, mae'n rhaid, tua'r un oed â Mabli – hefyd wedi

64

lapio ei breichiau am ei choesau, ac yn eistedd ar ganol y llawr yn siglo'n ôl ac ymlaen yn ddi-baid.

Fel yr oedd Baltws wedi'i ddisgwyl, doedd y naill na'r llall yn medru gweld na chlywed ei gilydd. Roeddynt yn troi yn yr un cylchoedd ond byth yn dod yn ddigon agos i fod yn gysur na chymorth iddyn nhw'u hunain heb sôn am neb arall.

Roedd delwedd rhywun arall yno hefyd, yn y pen draw wrth adlewyrchiad y drws ffrynt; y corff wedi pydru hyd at y sgerbwd a'r dillad amdano fel petaent newydd gael eu gwisgo. Ai hwn oedd awdur y penillion yn y llofft? Roedd siwmper las amdano. Gwelodd sgerbwd rhywun arall yno hefyd, yn eistedd ar waelod y grisiau. Dynes mewn ffrog hir, ddu, hen ffasiwn. Ai amdani hi roedd y penillion yn sôn? Pwy bynnag oedd y ddau, roedd Baltws yn rhy hwyr i'w hachub, a gwyddai mai'r un fyddai tynged Sera a Seimon hefyd pe gadawai nhw yno.

Daethai Baltws i ddeall ers canrifoedd fod dwy fersiwn o'r un person i mewn yn y Drychwll. Y cyntaf oedd corff go iawn y person, a'r ail oedd yr adlewyrchiad, neu'r Cysgod Byw fel y byddai yn ei alw.

Unig bwrpas y Cysgod Byw, hyd y gwelai, oedd bwydo oddi ar yr ofn y person a gipiwyd gan y drych yn y llofft. Unwaith y byddent i mewn ynddo byddai'r Drychwll yn creu sŵn annaearol y tu mewn iddo er mwyn dychryn y caethion i'w seiliau, a byddai egni'r ofn hwnnw yn cael ei amsugno allan o'u cyrff gan y Cysgod Byw. Ar yr ofn hwnnw y byddai'r Drychwll yn goroesi am ychydig flynyddoedd cyn gorfod dwyn mwy o fywydau, ond byddai ennill un enaid cryf yn rhoi digon o egni i'r Drychwll fedru goroesi am ddegawdau.

Yna, ar y gair, fel petaent wedi synhwyro'i bresenoldeb, daeth Cysgodion Byw Seimon a Sera drwy ddrws yr ystafell, eu llygaid yn farwaidd a dienaid, a dechrau cylchdroi o amgylch y Seimon a'r Sera go iawn. Anesmwythodd Sera a Seimon ar y llawr – roedd y ddau yn synhwyro bod rhywbeth yno, ond heb fedru gweld beth.

Dychrynodd Baltws pan gerddodd rhith Mabli i'r ystafell yn y drych. Roedd hi'n edrych yn ddeniadol mewn trowsus du ac esgidiau sodlau du a gwyn, a chôt frown smart yn hongian dros ei hysgwydd gerfydd un bys. Yn goron ar y ddelwedd roedd ei gwallt euraidd, cyrliog wedi'i glymu'n fwriadol flêr ar ei chorun.

Edrychodd ar bawb o'i chwmpas. Doedd ganddi hi neb i fod yno yn garcharor iddi. Neb i sugno'i henaid ohoni. Doedd y Mabli go iawn ddim yno ... eto.

Roedd y Cysgod Byw hwn yn llwglyd.

* * *

Llyfodd Mabli dropyn o hufen oddi ar ei bawd wrth fodio drwy dudalennau'r ap nodiadau ar ei ffôn. Daeth ar draws y pennawd 'J.P.' a'r enw *Gazette*, felly oedodd i'w ddarllen: sgrin-lun o erthygl â'r teitl 'Diflaniad Academydd 2000', ac is-deitl 'Cyfraniad i Addysg a Hanes Cymru, Coleg Caerfai.'

Cofiodd iddi ddod o hyd i hanes Jac Percy mewn hen erthygl ar y we. Yn ôl y ddogfen roedd o wedi cael ei wneud yn athro yn adran Hanes Celtaidd y coleg am ei gyfraniad i hyrwyddo'i bwnc ar hyd ei yrfa – ond nid dyna oedd byrdwn yr erthygl, ond y ffaith iddo ddiflannu'n ddisymwth ar droad y mileniwm. Cofiodd Mabli iddi chwilio am ei gyfeiriad a dod o hyd iddo'n hawdd cyn penderfynu y byddai'n mynd am sgowt i'r tŷ. Cofiodd iddi, yn llawn cyffro, yrru neges Whatsapp i Seimon yn egluro'i bwriad.

Welodd hi 'mo Seimon ers hynny. Welodd hi mo'r tŷ chwaith. Dyna pam roedd hi'n reit gynhyrfus fod Arwyn wedi penderfynu y byddai'n dod yno efo hi drennydd. Chwarae teg iddo fo. Roedd cwmni Arwyn yn well na mynd ei hun, er ei fod yn ail gwael i Seimon.

Sylwodd fod briwsion y browni yn llanast ar hyd ei thop, a gadawodd streipiau budron ar y defnydd wrth eu brwsio ymaith.

* * *

Sylweddolodd Baltws fod enaid Mabli'n un o'r rhai cryfion hynny y gallai'r Drychwll fod yn pesgi arno am flynyddoedd. Roedd rhwystredigaeth ei Chysgod Byw wedi dangos hynny. Gwylltiodd, a rhoi hergwd i ffrâm y drych nes cynhyrfu Cysgod Byw Mabli. Cerddodd honno at ffrâm y drych yn araf, ei llygaid yn wag.

Roedd y Sera go iawn yn dal i siglo yn ôl ac ymlaen, ei dwylo'n gorchuddio ei chlustiau a'i Chysgod Byw yn sefyll drosti. Sylwodd Baltws fod Seimon wedi rhoi ei fysedd yn ei glustiau hefyd – roedd y Drychwll wedi dechrau creu ei sŵn annaearol, mae'n amlwg, ac roedd Baltws ar fin bod yn dyst i fwydo'r Cysgodion Byw oddi ar Sera a Seimon.

Trodd Baltws ei sylw'n ôl at Gysgod Byw Mabli er mwyn osgoi gwylio gwingo hunllefus y ddau. Roedd honno, erbyn hyn, yn syllu yn syth i lygaid Baltws.

* * *

Agorodd Mabli dudalen arall yn yr ap oedd â'r teitl 'B.G.' Gwelodd y geiriau 'Beti G. Radio C, 1995 J.P. Recordiad.' Estynnodd ei chlustffonau a dechrau gwrando ar lais Beti George yn croesau'r gwrandawyr i'r rhaglen. Yna cyflwynodd y dyn ei hun.

'... mae e'n ddarlithydd yng Ngholeg Caerfai, Gwynedd, ac yn gweithio yn yr adran Hanes Celtaidd ers ugain mlynedd. Mae e'n awdur, dadleuwr heb ei ail, ac wedi ymddangos ar nifer o raglenni ar y radio a'r teledu fel ei gilydd ...'

Bu bron i Mabli â hel y recordiad yn ei flaen, ond rhewodd pan glywodd:

'Jac Percy, croeso i'r rhaglen.'

'Diolch yn fawr i chi Beti, a diolch am y gwahoddiad.'

Anadlodd Mabli'n ddwfn. Roedd clywed ei lais, fel petai'n eistedd wrth ei hochr, wedi ei syfrdanu.

'Nawr 'te, y peth cyntaf y dylwn i ei wneud, cyn trafod eich bywyd cynnar, yw eich llongyfarch ar eich dyrchafiad diweddar i Gadair yr Adran Hanes.'

'Wel, diolch yn fawr i chi, Beti. Mae'n fraint fawr ac wedi bod yn uchelgais i mi, ydi wir.'

'Ydi'ch bywyd chi wedi prysuro'n ddirfawr ers y dyrchafiad?'

'Dim felly, wyddoch chi. Mae 'na wastad ddigon o waith i'w wneud i'n cadw ni i gyd yn brysur, ond wrth gwrs, mae 'na ddyletswyddau ychwanegol yn dod i law Athro unrhyw adran goleg.'

'Ydych chi'n meddwl bod cyfnod cyffrous ar droed i'r Adran?'

'Wel, rydan ni newydd sefydlu modiwl ar blanhigion cynhenid Ynysoedd Prydain ac arwyddocâd symbolaidd y planhigion hynny yn y Chwedlau Cymraeg Canol.'

'Ac oes diddordeb mawr yn y math hynny o beth?'

'Mae swp o fyfyrwyr y flwyddyn gyntaf wedi cofrestru ar y modiwl hwn, a rhai disglair iawn yn eu plith nhw. Ambell un y tu hwnt o ddisglair ...'

Stopiodd Mabli'r recordiad. Oedd o'n cyfeirio at y myfyriwr hwnnw a ddiflannodd ar yr un pryd ag o? Chwalodd y felan drosti, a brysiodd i roi'r podlediad yn ôl ymlaen. Daeth llais Beti George yn ei ôl.

'Wel, nawr 'te, falle nad yw pawb yn gwybod, ond un o Gymry Lerpwl y'ch chi'n wreiddiol, ondife?'

Stopiodd Mabli'r recordiad unwaith eto. Wyddai hi ddim

am hyn. Un o Gymry Lerpwl – dyna pam na allai ddyfalu o ble dôi'r acen!

* * *

Cododd Baltws y gynfas oddi ar y llawr a gorchuddio'r drych. Ceisiodd beidio â meddwl am y rhai na allod eu hachub ar hyd a lled y greadigaeth. Dyna oedd y rhan anoddaf o'i swydd, o'i fodolaeth, ac ysai am allu gweithio allan sut roedd difa'r holl fyd yn gyfan gwbwl heb ddinistrio Seimon a Sera yn y fargen, fel ag y gwnaeth sawl tro o'r blaen.

Ond sut?

Allai o ddim darganfod yr ateb heb fod i mewn yn y Drychwll ei hun, ac roedd hi'n amhosib iddo gael ei sugno yno heb adlewyrchiad. Penderfynodd fynd i chwilio drwy'r llofftydd eto, ond cyn dringo'r grisiau tarodd ei lygaid ar rywbeth.

* * *

Ar ôl gwrando ar y recordiad a gorffen ei siocled poeth, daeth Mabli i sylweddoliad.

'Y basdad,' meddyliodd wrth daro'r mŵg ar y bwrdd gan achosi i Glenda Wyn godi'i phen y tu ôl i'r cownter. Oedd, roedd hi'n rhyfedd i Seimon ddiflannu heb ddweud dim wrth neb – dim neges ffôn, dim e-bost, dim nodyn drwy'r drws, dim cliwiau bach chwareus ar ei desg. Dim. Dim hyd yn oed neges i Arwyn i egluro lle'r oedd o wedi mynd. Gwyddai pawb fod ganddo wyliau i'w cymryd, ond doedd ganddo ddim digon o gwrteisi i ddweud wrth ei fòs ei hun ei fod am fynd i ffwrdd!

A dyna Sera wedyn. Roedd ymddygiad ei ffrind wedi brifo'n fwy nag ymddygiad Seimon. Gwyddai Sera'n iawn fod gan Mabli deimladau tuag at Seimon – roedd y ddwy wedi trafod y peth yn helaeth dros baneidiau a gwydrau o win. Rhyw dridiau ar ôl i Seimon ddiflannu, mi ddiflannodd hithau. Er nad oedd Seimon a Mabli'n canlyn yn selog, roedd Sera'n deall y sgôr … i fod. Doedd dim eglurhad arall – roedd y ddau wedi'i miglo hi efo'i gilydd i rywle, ac yn ormod o gachwrs i ddweud wrthi hi'n blaen.

Bitsh!

* * *

Roedd Baltws wedi sylwi ar fag llaw reit fawr. Roedd o'n drwm, felly rhoddodd ei law ynddo a theimlo rhywbeth caled. Tynnodd gas pren crwn allan – roedd yn fawr, tua deuddeg modfedd ar draws – a gwelodd Baltws ei bod yn bosib ei agor. Symudodd y glicied ar yr ochr er mwyn gwneud hynny: drych dwbwl oedd o.

Roedd brychau du huddygl wedi gadael eu hôl arno. Oedd y drych wedi cael ei gadw yn y lle tân, tybed? Os felly, roedd rhywun wedi penderfynu ei guddio yno'n fwriadol. Penderfynodd ei gadw'n ôl yn saff yn y bag, a stwffio hwnnw y tu ôl i un o'r cadeiriau. Oedodd am ennyd i feddwl. O'i brofiad maith ar hyd a lled y bydysawd, gwyddai fod drychau arwyddocaol yn dod mewn parau – oedd un arall yn y tŷ?

Yn dilyn awr o chwilio, fe'i cafodd yng ngwaelod hen gwpwrdd dillad yn un o'r llofftydd wedi'i lapio mewn defnydd glas a oedd bellach yn garpiog.

* * *

Erbyn hyn roedd Glenda Wyn wedi sylwi ar yr olwg flin oedd ar Mabli.

'Gwitshad amdano *fo* wyt ti, ia?'

Trodd Mabli ei phen i ateb Glenda, ond dal ati i siarad ddaru perchennog y caffi.

Eitha pishyn, hwnna, 'fyd. Ond faswn i'm yn treulio gormod o amser efo fo chwaith.'

'Pwy? Seimon?'

'Naci, y jarff 'na roeddat ti efo fo yn fan hyn y diwrnod o'r blaen. Roeddach chi'n sgwrsio'n ddygyn iawn ...'

Doedd gan Mabli ddim syniad at bwy roedd Glenda Wyn yn cyfeirio. Chofiai Mabli ddim pryd fu hi yn y caffi ddiwethaf, petai'n dod i hynny.

'Am bwy dach chi'n sôn, Glenda?'

'Am bwy dwi'n sôn!' wfftiodd Glenda, 'y pishyn 'na mewn côt ddu ... bŵts fatha bŵts armi uchal ganddo fo?'

Roedd wyneb Mabli'n llawn dryswch o hyd, ac erbyn hyn roedd Glenda wedi drysu hefyd. Sut ar wyneb y ddaear nad oedd Mabli'n ei gofio? Doedd dynion golygus ddim yn tyfu ar goed.

'Mi wyddost ti'n iawn am bwy dwi'n sôn, Mabli – hwnna sy'n edrach fatha Jude Law, 'mond bod gwallt coch gynno fo. Roedd y ddau ohonach chi'n ista tu allan yn fan'cw yn sgwrsio am hir.' Moelodd clustiau Mabli pan glywodd am y gwallt coch. 'Llygaid glas? Brychni haul dros ei wynab i gyd? Golwg 'fatha tasa fo'n gwybod bob dim arno fo,' parhaodd Glenda.

Symudodd Mabli yn ôl yn ei chadair fel petai rhywbeth wedi rhoi hyrddiad iawn iddi. Aeth i deimlo'n chwil.

'Mabli? Wyt ti'n ocê, 'mach i?'

'Ym ... yndw.' Ceisiodd godi o'i chadair er mwyn mynd at y drws, ond methodd. Syrthiodd yn swp diffrwyth ar y llawr.

* * *

Gwyddai Baltws cyn sicred â'i fod yn sefyll o flaen y drych y byddai'n dychwelyd i'r tŷ yn fuan iawn i achub Mabli, unwaith eto. Doedd ganddo ddim rheolaeth dros ei phenderfyniad i ddod yno, mwy nag yr oedd ganddi hithau yn ei chyflwr anghofus.

Welodd Baltws mo'r goleuadau yn fflachio o grombil yr hen ywen y tu allan i'r tŷ.

* * *

Ar ôl iddi gyrraedd adref, taflodd Mabli ei ffôn ar y bwrdd coffi. Roedd hi wedi blino edrych arno bob dau funud.

Eisteddodd yn ei hoff gadair ac edrych o'i chwmpas. Ar y wal o'i blaen roedd ei thystysgrif gradd o 2018. Wrth ei ochr, y llun graddio confensiynol ohoni yn ei gŵn ddu a'i chap sgwâr, a tystysgrif smal yn ei dwylo. Wedyn, i'r dde, llun ohoni hi a'i thad y tu allan i ddrws ffrynt y brifysgol, wedi'i dynnu gan Nigel Roberts, Aberydd. Ychydig a wyddai'r ddau pan dynnwyd ef mai ychydig o fisoedd oedd ganddynt ar ôl efo'i gilydd.

Oedd, roedd ei thad yn hynod o falch ohoni y diwrnod hwnnw. Roedd o wastad wedi gobeithio am y gorau iddi – hi oedd ei unig blentyn a channwyll ei lygad, ond wnaeth o erioed ei difetha. Ar wahân i'r weinidogaeth, dim ond Mabli oedd ganddo wedi iddo golli ei wraig bedair blynedd ar ddeg ynghynt. Doedd Mabli ddim wedi etifeddu natur ddirodres ei thad yn llwyr, ond doedd o ddim i'w weld yn malio am hynny.

Tebyg i'w nain oedd Mabli: annwyl, doniol, ffraeth a ffasiynol. Bron nad oedd Mabli wedi modelu ei hun ar y llun o'i nain o'r 1950au oedd wrth ochr ei gwely. Yn ôl ei thad, etifeddodd rannau o gymeriad ei mam hefyd, oedd yn ei rhyfeddu wrth iddi ystyried cyn lleied o amser a dreuliodd y ddwy efo'i gilydd.

Edrychodd eto ar y llun ohoni efo'i tad. Beth ar wyneb y ddaear fyddai ganddo i'w ddweud petai o'n gweld yr olwg flêr oedd arni rŵan? Yn ddi-glem, yn ddi-raen, yn ddigyfeiriad; yn fudur, hyll a drewllyd. Petai'r egni ganddi, byddai'n neidio i'r gawod, golchi ei chyrls euraid a'i gwisgo'i hun yn unol â'i steil wych arferol. Ond ai dyna'r oll oedd yn bwysig iddi? Wedi hanner eiliad o sylweddoliad, daeth i'r canlyniad y byddai'n ffeirio pob potel o liw gwallt a phob pâr o sodlau a phob trowsus Gucci oedd ganddi am y fraint o gael cwmni ei rhieni a'i nain yr eiliad honno.

Dydd Gwener, Hydref 23

Rhoddodd Llinos y ffôn i lawr yn yr archifdy. Doedd Mabli ddim yn swnio fel hi'i hun, meddyliodd – yn flinedig a fflat. Mae'n rhaid bod Arwyn yn ei gweithio'n rhy galed.

Edrychodd ar y nodiadau a gymerodd yn ystod yr alwad.

Jac Percy
1999
6 Trem yr Ywen

Doedd dim rhaid i Llinos ysgrifennu swydd Jac Percy ar y papur, oherwydd gwyddai'n iawn pwy oedd o. Daethai ar draws erthyglau lu o'i eiddo mewn papurau yn yr archifdy, a gweld hen glipiau teledu ohono'n trafod hanes lleol. Oedd hi'n iawn i feddwl ei fod yn rhan o ryw sgandal dro yn ôl? Oedd, cofiodd – roedd o ac un o'i fyfyrwyr wedi diflannu o gwmpas yr un adeg. Gŵr gweddw oedd Jac Percy, yn byw ar ei ben ei hun, ac wrth gwrs bu cryn ddyfalu beth ddigwyddodd i'r ddau.

Teimlai Llinos drueni dros yr hogyn ifanc hwnnw, gan fod y sylw bron i gyd wedi cael ei roi i ddiflaniad Jac Percy am ei fod yn adnabyddus drwy Gymru am ei waith. Ddaru'r 'sgandal' ddim cyrraedd y newyddion chwaith, dim ond y ffaith i un o haneswyr mawr Cymru ddiflannu yn ddisymwth.

Ar ôl chwilio am ddogfennau ynglŷn â Jac i Mabli, aeth Llinos ati i chwilio am hanes y tŷ hefyd. Daeth ar draws enw perchennog y tŷ yn reit gyflym: Catherine Williams. Pam oedd Jac Percy yn rhentu tŷ teras ac yntau'n ddigon cefnog i brynu plasty, tybed? Roedd cyflog mawr yn dod iddo o'r coleg a châi ffioedd am ei waith i'r cyfryngau – roedd ei Jaguar XK8 yn brawf o hynny. Oedd y myfyriwr ifanc yn ei flacmelio? Pwy a ŵyr.

Ar y sgrin gwelodd enw ffotograffydd lleol oedd yn lled-gyfarwydd iddi, ond roedd hi'n rhy ifanc i'w gofio'n iawn – Glandon Richards. Bu hwnnw'n byw yn yr un tŷ hefyd, erbyn deall. Penderfynodd Llinos ddarllen mwy amdano, felly argraffodd gopïau o'r erthyglau a'u rhoi o'r neilltu er mwyn pori'n fwy trylwyr drwyddyn nhw drannoeth. Roedd cyfeiriadau yn yr erthyglau hyn hefyd am berchennog y tŷ – pwy oedd Catherine Williams, tybed?

Newidiodd Llinos gyfeiriad ei hymchwil a theipiodd gyfeiriad y tŷ yn y blwch chwilio. Ymddangosodd dogfennau ar y sgrin o'i blaen: roedd y map cynharaf i ddangos rhes Trem yr Ywen yn ddyddiedig 1908, a manylion cyfrifiad 1911 yn rhestru enwau'r trigolion. Y teulu Williams oedd yn byw yn rhif 6; roedd y tad, William, yn chwarelwr a thrigai yno efo'i wraig, Elizabeth, ei fab, Emrys, a dwy o ferched, Catherine a Betsan. Dechreuodd chwiliad am yr enwau, a chyn hir daeth ar draws erthygl a gyhoeddwyd yn yr *Herald* yn 1922.

Wedi marwolaeth sydyn y diweddar frawd William Williams, 6 Trem yr Ywen, bu i'w wraig weddw Elizabeth Williams ddioddef colled arall pan darfwyd ar ei bywyd gan ddiflaniad ei merch ieuengaf, Betsan Williams. Ni ŵyr neb i ba le y diflannodd nac ychwaith paham y bu iddi ddiflannu. Symudodd Mrs Elizabeth Williams i fyw at ei merch hynaf, Catherine, yn dilyn ymadawiad ei mab Emrys i'r ysbyty meddwl yn Ninbych ...

Bellach, roedd dychymyg Llinos yn drên. Tri pherson yn diflannu o'r un tŷ? Ac yn fwy na hynny, beth yn union oedd Mabli 'Sbïwch arna i' Fychan yn ei wybod am y lle? Oedd hi ar drywydd sgŵp? Wrth gwrs – roedd hi ar drywydd y dirgelwch, a'r stori wedi mynd yn drech na hi!

Wel, ystyriodd, roedd Mabli wedi dod ar ei gofyn hi heddiw felly mae'n amlwg nad oedd yr wybodaeth i gyd ganddi – na'r egni i fynd ar ôl y stori'n iawn chwaith. Ha! Gallai Llinos wneud tamed o waith ymchwil ei hun, ei gyflwyno i Arwyn … wedi'r cyfan, bod yn newyddiadurwr oedd uchelgais Llinos hefyd, ond ei bod wedi methu â chael gwaith yn y maes ar ôl graddio.

Roedd sawl erthygl am drigolion colledig 6 Trem yr Ywen, a phenderfynodd Llinos nad oedd am eu rhoi nhw i gyd i Mabli. Na. Os oedd Mabli Fychan yn mynd i wneud enw iddi hi'i hun efo'r stori 'ma, roedd Llinos yn mynd i gael darn mawr o'r gacen hefyd, os nad y cwbwl lot. Beth oedd yr hen ddywediad? 'Cân di bennill fwyn i'th nain, fe gân dy nain i tithau?'

Pan ddeuai Mabli i'r archifdy yr wythnos ganlynol, byddai Llinos yn barod i daro bargen â Mabli i rannu'r wybodaeth yn eu meddiant ill dwy er mwyn cydweithio ar y stori. Stori am beth, ni wyddai Llinos yn iawn … efallai mai wedi marw yn seler y tŷ roedd y tri, bod rhywbeth yn eu denu i lawr yno, bod gwenwyn yn y waliau, efallai? Byddai'n rhaid iddi fynd i'r tŷ i chwilota, a hawdd fyddai gwneud hynny gan ei fod yn wag.

Dydd Iau, Hydref 22

(Txt) Mabli: Haia Sera, Tisio dod efo v amsr cinio heddiw?

(Txt) Sera: Lle? Simon ddim efo t?

Hydref 1921

Pe na byddai mam Betsan wedi dechrau hel clecs efo mam Gwenno drws nesa dros y wal gefn, byddai Betsan wedi cael ei dal yn sleifio drwy'r tŷ gyda'r parsel oedd wedi ei lapio'n ddestlus mewn papur brown a'i glymu â chortyn gwyn. Roedd ei symudiadau llechwraidd yn brawf nad oedd am i neb ei gweld.

Carlamai calon Betsan wrth iddi gamu i fyny'r grisiau i'w llofft, y parsel yn drysor prin yn ei chôl. Roedd pob gris fel petai am y gorau i'w bradychu wrth i'r derw wichian a gwegian fel hen long o dan ei thraed, ond o'r diwedd, cyrhaeddodd ddrws ei llofft. Trodd y dwrn yn ofalus rhag iddo roi clec, a gwrandawodd am eiliad er mwyn gwneud yn siŵr bod llais ei mam yn dal i'w glywed y tu allan.

Yna, oedodd a throi ei sylw at lofft Emrys, ei brawd mawr. Doedd dim smic i'w glywed o fanno chwaith – mae'n rhaid ei fod yn tynnu lluniau, meddyliodd Betsan, neu'n parodïo emynau'n gyfrinachol gan nad oedd Tada o gwmpas. Yn fodlon y cawsai lonydd, agorodd ddrws ei llofft a'i gau ar ei hôl.

Gosododd Betsan y parsel ar y gwely wrth ei hochr gan anwesu'r papur fel petai'n sidan o Bersia. Iddi hi, roedd yr un mor werthfawr, a siffrwd y papur fel alaw bersain wrth iddi ei fodio. Ei pharsel hi oedd hwn. Ei heiddo hi. Hi oedd wedi hel arian ei childwrn er mwyn talu am ei hanner. Talwyd am yr hanner arall gan ei hewythr Richard o'r siop, yn anrheg iddi.

Ni fyddai Tada na'i mam yn gweld gwerth mewn taflu arian yn ddianghenraid ar ffrog newydd. Gallai glywed eu pregethu rhagfarnllyd yn ei phen – rheitiach fyddai iddi fod wedi addasu un o hen ffrogiau ei chwaer, neu weithio ar ryw hen ddefnydd. Gallai'r arian fod wedi mynd ar fwyd, gan mai peth digon prin oedd hwnnw.

Ochneidiodd Betsan a gresynu fod yn rhaid iddi gelu popeth, bron, oddi wrth ei rhieni. Roedd eu bywydau mor gul o'u cymharu ag un Dewythr Richard yn y siop.

Eilun Betsan oedd ei hewythr Richard. Roedd ganddi gof plentyn ohono cyn iddo fynd i gwffio yn y rhyfel; ond yn hytrach na dychwelyd adref ar ôl cael ei saethu, aeth i'r Amerig bell ac agor siop ddillad yn Boston. Yna, ar ôl derbyn sawl llythyr gan ei mam yn cwyno am gyflwr Emrys, penderfynodd Richard ddod adref ac agor siop yn y pentref. Swynwyd Betsan gan ei straeon am yr holl geir yn Efrog Newydd, a'i ddisgrifiadau o hyd a lled pob dinas. Cafodd wybod beth oedd hyd pob sgert a sawdl, a disgrifiad coeth o bob addurn yr oedd merched y llefydd egsotig hyn yn ei roi mewn gwallt ac mewn clust. Ymddangosai America yn lle bywiog, prysur, lliwgar a swnllyd, a dyna'r math o fyd yr hoffai Betsan fyw ynddo.

Cyn dychweliad Dewyrth Richard, doedd wiw i Betsan edmygu ei hun mewn drych. Roedd pob dilledyn i fod yn blaen a siarsiwyd hi i beidio byth â thynnu sylw ati hi ei hun. Nid oedd i godi ei llais wrth gyfarch ei chydnabod yn y stryd, a hyd nes iddi ddechrau gweithio yn y siop, rhaid oedd iddi fod gydag un ai Tada neu ei mam os oedd am sgwrsio ag unrhyw fachgen.

Bu'r siop yn achubiaeth iddi. Bu Dewyrth Richard yn achubiaeth iddi, ac er na fuasai ei mam yn cyfaddef hynny, bu Dewyrth Richard yn achubiaeth iddi hithau hefyd. Gan fod Tada yn aros ym marics y gweithfeydd manganîs yn ystod yr wythnos, a gwichian Emrys yn deffro'r ddwy ym mherfeddion y nos, roedd hi'n dda iawn i'w mam wrth Richard. Bendith arall i Tada a'i mam oedd ei chyflog hi am weithio yn y siop. A Betsan ei hun? Heddiw, roedd ganddi ffrog las newydd, ffasiynol, yn eiddo iddi hi ei hun ar ei phen blwydd yn ddeunaw, wedi'i gwneud gan Miss Evans, howscipar Dewyrth Richard oedd hefyd yn wniadwraig fedrus. Fe'i gwnaeth gyda defnydd yr oedd Betsan wedi'i flysu yn y siop dro'n ôl.

Fore heddiw, sef bore pen ei blwydd, ni wnaeth ei mam sylw am ei charreg filltir. Doedd dim diben mewn rhyw hen lol felly, meddai. Diwrnod arall oedd o, wedi'r cwbwl, a hithau gam yn nes at heneiddio. Rheitiach fyddai iddi wneud iawn am bob pechod a pharatoi gweddi daer am faddeuant ar gyfer y Sul.

'Mae Dewyrth Richard am fynd â fi am dro at yr harbwr i gael picnic pan awn ni i'r dref nesa,' mentrodd Betsan ddweud wrth fwyta ei brecwast.

'Pwy feddyliai y byddai gynnoch chi ddigon o amser i fynd i galifantio, a chitha i fod i ennill cyflog,' oedd ymateb swta ei mam.

Felly, heb na chyfarchiad na dymuniad da yn ei chartref, rhaid oedd i Betsan aros nes cyrraedd y siop. A dyna pryd y cafodd y parsel.

Bu Betsan yn gweithio yn y siop ers blwyddyn, ac o'r herwydd enillodd fymryn bach mwy o barch gan ei rhieni. Teimlai fel dynes ifanc bellach yn hytrach na'r plentyn y cafodd ei chyhuddo o fod ar hyd y beit cyn hynny. Y plentyn a chwantai ar ôl bwydydd breision, y plentyn a ddymunai gael mwy na'i haeddiant, y plentyn llac ei thafod na pharchai ei rhieni wrth drafod dyletswyddau yn y tŷ ...

Yn sydyn, clywodd Betsan ei mam yn cau clicied y drws cefn, felly stwffiodd ei pharsel i waelod ei chwpwrdd dillad a rhoi'r garthen dros ei ben. Gafaelodd yn ei brat llwyd a'i luchio amdani cyn cerdded i lawr y grisiau, yn drymach ei chamau y tro hwn.

Cleciai ei hesgidiau ar lechi caled llawr y gegin, ac aeth i hulio'r bwrdd cyn i Tada ddod adref o'r gwaith. Roedd hi'n nos Wener, ac roedd penwythnos hir o'i blaen.

* * *

'Shit! Mae'r ffrâm 'di torri!'

Taflwyd drws cefn 6 Trem yr Ywen yn agored gyda chythraul o sŵn. Safodd Mabli a Sera am ennyd yn edrych ar y gwagle lle bu'r drws, eu hysgwyddau'n brifo wedi iddynt wthio, taro a hyrddio yn ei erbyn. Sera roddodd y gic dyngedfennol iddo yn y diwedd gan wneud mwy o ddifrod na'r disgwyl yn y fargen. Byddai Mabli wedi hoffi gofyn i Seimon ddod efo hi, ond doedd wybod lle roedd hwnnw na pham ei fod yn anwybyddu ei negeseuon. Y basdad.

'Diolch Sera – faswn i wedi bod am byth yn trio'i agor o yn y sgidia 'ma!'

Camodd Sera i mewn drwy'r drws i ystafell nad oedd golau dydd wedi ei chyrraedd ers degawdau. Taniodd dortsh ei ffôn er mwyn i'r ddwy gael gweld yn well, a chrychodd ei thrwyn wrth weld y budreddi.

'Ia, chdi a dy blydi sodlau!' chwarddodd Sera. 'Ers faint mae'r tŷ ma'n wag, Mabli? Mae 'na uffar o ogla tamp yma.'

'Diwedd 1999, hyd y gwn i. Eniwe, sut o'n i i fod i wbod sut ogla fysa yma?' gofynnodd Mabli'n amddiffynnol. Yna, am chwarter eiliad, cafodd y teimlad ei bod wedi arogli'r un tamprwydd yn rhywle yn ddiweddar.

'Ble aeth y boi Percy 'ma mor sydyn 'ta?'

'Dwi'm yn siŵr, ond mi wnaeth un o'i stiwdants o ddiflannu hefyd ... dipyn o sgandal, yn ôl y sôn. Dyna be rydan ni wedi dŵad yma i'w ffeindio, gobeithio. Be sy'n grêt ydi nad oes neb arall wedi byw yma ers iddo fo fynd, felly mi ddylia fo fod wedi gadael rwbath ar ôl.'

'Trist 'de,' myfyriodd Sera, 'eu bod nhw wedi gorfod denig i ffwrdd efo'i gilydd fel'na, yn lle cael byw fel roeddan nhw isio.'

Pendronodd Mabli am eiliad. 'Ti'n meddwl mai dyna ddigwyddodd?'

'Edrach felly, tydi?' atebodd Sera, fel petai'r digwyddiad yn ddim ond stori am rywun yn mynd i'r siop i nôl torth.

Cymerodd Mabli gipolwg sydyn dros ei hysgwydd rhag ofn fod rhywun wedi dod i fusnesu ar ôl clywed y glec, ond doedd dim golwg o neb. Caeodd y drws y gorau allai hi, ac edrychodd o amgylch y gegin. Doedd dim arwydd bod neb wedi bod yno ers ugain mlynedd – roedd chydig o lestri wrth y sinc, cadeiriau wrth y bwrdd, cloc oedd wedi stopio am funud wedi un ar ddeg ar y wal, llwch, pryfed marw a budreddi ar bob arwyneb. Sylwodd ar olion dwylo yn y baw ar deils sil y ffenestr, ac ar y sinc hefyd. Tybed oedd rhywun wedi dod yma o'i blaen ar drywydd yr un stori â hi?

'Am sut fath o betha ddylian ni fod yn chwilio 'ta?' gofynnodd Sera.

'Rwbath fasa'n rhoi syniad i ni pam ddaru o ddiflannu fel y gwnaeth o, a rwbath fasa'n profi fy amheuon amdano fo a'r stiwdant.'

'Felly papurau, lluniau, llythyrau a ballu?'

'Ia, felly mewn drôrs a chypyrddau, am wn i, ydi'r llefydd gora i chwilio i ddechrau. Rho rhein amdanat,' meddai Mabli, gan estyn menig plastig iddi hi a Sera er mwyn cuddio ôl eu bysedd. Yna, wrth gyrraedd y drws i'r stafell ganol, cafodd deimlad cryf o *déjà vu*. Dyna pam y stopiodd yn stond cyn camu i mewn i'r ystafell.

'Be sy?'

'Teimlo 'mod i wedi bod yma o'r blaen ... 'fatha 'mod i 'di breuddwydio am y lle.' Rhedodd cryndod sydyn drwyddi. Yng ngoleuni tortsh ei ffôn gwelodd fod huddygl wedi disgyn o'r simdde i'r grât ... a chofiodd rywbeth a wnaeth iddi wingo.

Yn ei thŷ y bore Sul cynt, ar ôl treulio'r diwrnod blaenorol yn teimlo'n swp sâl efo gwres uchel a meddwl niwlog, roedd Mabli wedi dechrau dod ati ei hun. Cododd oddi ar y soffa er mwyn gwneud mymryn o fwyd iddi hi'i hun, ac wrth basio ei *trenchcoat* frown oedd yn hongian ger y drws sylwodd fod marciau mawr du ar ei llawes. Gan ei bod yn amlwg angen mynd â hi i gael ei glanhau, aeth drwy bocedi'r gôt i'w gwagio, a dyna pryd y daeth o hyd i fag plastig – un union yr un fath ag yr oedd hi'n eu cadw i gario brechdanau i'w gwaith – yn y boced. Yn y bag roedd darn bach o bapur a phowdwr du fel huddygl drosto. Agorodd y bag a chanfod mai derbynneb oedd hi o Ragfyr 1999, am ddau ddrych.

Nid dros gynnwys y bag yn unig y bu Mabli'n pendroni, ond sut y daeth y bag i fod ym mhoced ei chôt. Yr unig ganlyniad y daethai iddo ar y pryd oedd bod Seimon wedi dod o hyd iddynt yn nhŷ Jac Percy, ac wedi gadael y bag plastig yn ei phoced tra bu hi'n sâl cyn diflannu i weithio ar stori Jac Percy ar ei ben ei hun. Ond nawr, wrth sefyll yn y tŷ, gwyddai ei bod yn bosib nad hwn oedd y tro cyntaf iddi fod yno. Ond sut y gallai hynny fod, a hithau heb ddim cof o'r peth?

Rhoddodd y gorau i synfyfyrio pan sylwodd ar rywbeth ar y llawr o flaen y lle tân. Côt fawr ddu. Cerddodd Mabli ati a'i chodi.

'Côt fflipin Seimon 'di hon!' galwodd ar Sera'n flin.

Mae'n rhaid felly mai Seimon oedd wedi gadael ei ôl yn y baw ar sil y ffenestr wrth dorri i mewn i'r gegin. Ond i ble aeth o wedi hynny? Duw a ŵyr.

Edrychodd y ddwy yn gegrwth ar ei gilydd ac ar y gôt.

'Chdi oedd yn iawn, Mabs – mi *oedd* o wedi bod yma hebddat ti!' ebychodd Sera cyn sylwi bod rhywbeth arall ar y llawr hefyd wrth ymyl y gôt. 'Sbia hwn!'

Roedd Sera wedi cyrcydu ar lawr o flaen y lle tân er mwyn codi rhywbeth mawr, crwn.

'Drych!' meddai, gan ddal y drych dwbwl pren, oedd tua troedfedd ar ei draws, i Mabli gael ei weld.

'Ia ...' cytunodd Mabli'n gymysglyd.

'Wel, ma' hi'n bechod gadael hwn yma a neb yn 'i iwsio fo, tydi?' ychwanegodd Sera gan agor ei bag llaw a'i ollwng iddo'n ddiseremoni. 'Lwcus 'mod i 'di prynu'r bag mawr 'ma y diwrnod o'r blaen, 'de! Eith bob dim i mewn i hwn.'

Ddywedodd Mabli ddim byd. Roedd rhywbeth yn ei hanesmwytho. Ar ben hynny, prin roedd y drych mawr crwn yn ffitio i'w bag hi, a phetai rhywun yn gweld y ddwy yn cerdded o gyfeiriad y tŷ, byddai'n amlwg eu bod wedi dwyn rhywbeth oddi yno.

''Sa'n well i ti adael hwnna lle mae o, Sera,' rhybuddiodd Mabli hi, cyn rhoi ei llaw ar ei thalcen. 'Iesgob, fedra i ddim cael gwared o'r teimlad 'mod i'n gyfarwydd â'r lle 'ma, cofia.'

'Ty'd yn dy flaen, 'ta! Os ti'n gwybod cymaint, be sy drwy'r drws na'n fanna?' Amneidiodd Sera at y drws a arweiniai at y parlwr gorau.

'Dwn i'm. Stafall arall.'

'Jiniys. Wel, 'dan ni ddim 'di mynd i'r holl drafferth o dorri i mewn i'r lle 'ma jest er mwyn gweld cegin fudur ac un stafall fyw, a mynd o 'ma efo drych!'

Aeth Sera yn ei blaen tuag at y stafell ffrynt er gwaethaf diffyg brwdfrydedd ei ffrind.

Roedd cynllun Mabli wedi bod yn un reit syml: torri i mewn, chwilio drwy'r tŷ am unrhyw ddogfennau, dod â nhw oddi yno efo hi, eu hastudio a rhoi darnau o'r jig-so at ei gilydd. Wedyn, byddai'n ysgrifennu drafft o erthygl, ei dangos i'w bòs a dilyn y camau arferol i'w chyhoeddi. Ond rŵan, a hithau yno, doedd y cynllun ddim mor glir yn ei meddwl. Taflodd gipolwg ar Sera drwy'r drws.

'Ma' fama'n oleuach,' clywodd hi'n dweud. Mentrodd Mabli fymryn yn nes. Roedd Sera'n dweud y gwir. Roedd y parlwr gorau yn ystafell oleuach na'r un ganol gan fod dwy ffenestr yn wynebu'r lôn fawr, er bod y llenni wedi'u cau a'r ywen fawr yn gawres gyferbyn â'r tŷ.

Crwydrodd Sera o gwmpas y dodrefn. Roedd popeth wedi cael ei orchuddio â chynfasau gwyn heblaw am y lamp yn y gornel bellaf a dresel fawr oedd yn wynebu'r ffenestri. Tynnwyd sylw Mabli gan ddodrefnyn mewn ffrâm oedd yn sefyll yn y gornel arall, er ei fod wedi'i orchuddio â chynfas.

'Be sy matar?' holodd Sera pan welodd fod ei ffrind yn syllu'n fud i'w gyfeiriad.

Ysgydwodd Mabli ei phen. 'Dim.'

'Wel, mae o'n amlwg yn *rwbath*,' prociodd Sera, gan frasgamu at y dodrefnyn a gafael yn y gynfas.

'NA, PAID!' gwaeddodd Mabli, ond roedd hi'n rhy hwyr. Roedd y drych yn y golwg.

* * *

Tynnu llun wrth fwrdd y gegin oedd Emrys pan aeth Betsan i lawr y grisiau. Syllodd ar y papur – roedd llun o rywbeth tebyg i ddrws agored arno, a thwll du oddi mewn iddo oedd yn chwyrlïo'n ddim nes cyrraedd y canol.

'Da, Emrys,' canmolodd Betsan ei brawd fel petai'n siarad â phlentyn bach yn hytrach nag efo'i brawd hŷn. Doedd ganddi ddim syniad llun o beth oedd o mewn gwirionedd. Yna sylwodd ar ei giw-pi – roedd o'n cael diwrnod da heddiw, mae'n rhaid, os oedd o wedi gadael i'w mam gribo'i wallt yn daclus. Ar y gair, daeth eu mam o'r cefn â jwg llefrith yn ei llaw.

'Gwell hulio'r bwrdd ar gyfer swper yn reit sydyn, Betsan. Bydd Tada adra gyda hyn. Mi wyddoch sut dymer sydd arno fo pan nad ydi petha wedi'u gwneud yn iawn.'

Ufuddhaodd Betsan yn dawedog. Yn rhy dawedog, efallai, a sylwodd ei mam ar hynny.

'Sut ddiwrnod gawsoch chi yn y siop heddiw? Fu Dewyrth Richard yn rhannu straeon?'

Doedd Betsan ddim yn hoff o glywed llais ei mam yn llawn coegni fel hyn. Gwyddai'n iawn mai at ei hanesion o America y cyfeiriai, straeon y bu hi'n wastad yn ddirmygus ohonynt gan nad oedd yn eu deall, felly dewisodd beidio ag ateb.

'Mae Emrys wedi tynnu llun da iawn heddiw,' meddai Betsan, er mwyn newid y pwnc. Yn syth, stopiodd pensil Emrys ac am rai eiliadau rhewodd yr awyrgylch yn yr ystafell. Daliodd y ddwy eu hanadl rhag i Emrys ddechrau gwichian dros y tŷ, ond drwy lwc, wnaeth o ddim.

'Oedd raid?' sgyrnygodd ei mam, gan orffen gosod y bwrdd. 'Cerwch i nôl llwya' o'r dresal.'

Aeth Betsan yn ufudd, ond gallai glywed ei mam yr ochr arall i'r wal yn annog Emrys i beidio â cholli ei bwyll. Y peth olaf roedd ar ei mam ei angen oedd i Emrys gael pwl drwg wrth i Tada gyrraedd o'r gwaith.

'Dal di ati rŵan, Emrys, i Tada gael gweld be rwyt ti wedi bod yn 'i wneud drwy'r pnawn. Mi fydd o wrth ei fodd yn taro golwg arno fo.'

Ie, meddyliodd Betsan. Taro golwg yn unig a wnâi Tada. Golwg sarrug, golwg flin, golwg oeraidd a golwg biwis, gan roi pawb ar bigau'r drain am ddeuddydd. Dychmygodd fedru dechrau sgwrs hwyliog efo fo, am unwaith. Dychmygodd ei weld yn dod drwy'r gegin a rhoi ei fag ar y llawr wrth y lle tân a hithau'n eistedd gyferbyn ag o yn sgwrsio am ei diwrnod yn y siop.

Wyddoch chi be ddaru Dewyrth Richard yn y siop heddiw Tada?

Na wn i, 'mechan i.

Rhoi gramoffon ymlaen yn ei barlwr nes bod y gerddoriaeth yn llifo i'r siop a dangos i mi sut roedd Americanwyr yn dawnsio'r Lindy Hop a'r Charleston.

Gramoffon? Bobol annwyl! Be ydi peth felly, medda chdi?

Peth i chwarae miwsig a chorn mawr yn dod ohono.

Felly wir? A be ydi'r petha eraill 'ma roeddat ti'n sôn amdanyn nhw?

Y Lindy Hop, Tada, a'r Charleston.

A be ydi'r rheiny, deudwch?

Gwahanol fathau o ddawnsio o'r Amerig. Fel hyn, ylwch …

Yna dychmygodd ei hun yn dangos iddo beth oedd Richard wedi'i ddangos iddi hi y prynhawn hwnnw, a'i thad yn chwerthin llond ei fol am ei phen a'r ddau yn cael hwyl garw …

Ond gwyddai'n iawn na fyddai Tada yn cymeradwyo'r ffasiwn bethau. Nid fel'na y byddai'n sgwrsio â hi p'run bynnag. 'Offeryn y fall' fyddai'r gramoffon iddo, a 'synau estron dieflig nad oes ganddynt le ar yr un aelwyd grefyddol' fyddai'r Lindy Hop, y Charleston, y Shimmy, y Foxtrot a'r Baltimore. Teimlodd Betsan yn anobeithiol. Fan hyn yr oedd hi, yn siarad babi â'i brawd chwech ar hugain oed oedd yn byw fel petai ugain mlynedd yn iau. Roedd popeth mor chwithig, a theimlai fel petai rhywun yn gwasgu ar ei bron nes yr oedd yn mygu. Ysai am allu sgrechian dros y wlad nes y clywent hi yn yr Amerig, ac y deuai achubiaeth oddi yno ryw ddiwrnod.

Trodd i edrych arni hi ei hun yn y drych mawr oedd ar y dde iddi. Edrychai fel hen ddynes oedd wedi hen ddiflasu ar fyw. Am ennyd, caeodd ei llygaid a chlywodd y Lindy Hop yn atseinio o barlwr gorau Dewyrth Richard, a gwelodd y ddau ohonynt yn troelli a chicio rownd y sachau tatws a'r potiau da-da.

Gwenodd wrth ddychmygu beth fyddai ymateb y cwsmeriaid petai rhai ohonynt wedi dod ar eu traws yn gwneud y ffasiwn gampau ar ôl cloi drws y siop. Daeth chwerthiniad bychan o'i genau wrth iddi wrth gofio bod Miss Evans yr howscipar wedi bod yn eu gwylio, yn pwyso yn erbyn y drws a'i phen yn symud i rhythm y gerddoriaeth. Dyna'r byd y dymunai berthyn iddo.

'Betsan, mi rydw i'n gweld Tada'n cerddad i fyny'r lôn. Llwyau – rŵan!'

* * *

'Be sy'n bod arnat ti?' holodd Sera yn syn, ond wnaeth Mabli mo'i hateb, dim ond diffodd golau ei ffôn a cherdded yn syth at y drych. Cododd y gynfas a'i gosod yn frysiog yn ôl dros y ffrâm. Anadlodd yn drwm. Wyddai hi ddim pam ei bod hi mor daer am i'r drych gael ei orchuddio, ond roedd yn rhaid iddi ddweud rhywbeth wrth Sera.

'Tydan ni ddim isio i bobol wybod ein bod ni wedi bod yma, nag oes ... 'dan ni 'di torri'r drws cefn fel mae hi, yn do?'

'Iawn, dwi'n dallt,' meddai Sera. 'Ond dwyt ti ddim yn panicio fel'na fel arfer chwaith, Mabs.'

Meddyliodd Mabli o ddifrif. Nag oedd, doedd hi ddim yn un i fynd i banig. Fel arfer, hi fyddai'r gyntaf i gymryd risg – mae'n siŵr bod Sera'n meddwl ei bod yn colli arni.

Dechreuodd Mabli wenu, i dorri'r tensiwn. Edrychodd y ddwy ffrind ar ei gilydd a dechrau chwerthin, i gydnabod y sefyllfa swreal roeddynt ynddi. Torri i mewn i dŷ gwag gan gymryd arnynt eu bod yn ddwy dditectif, ond mewn gwirionedd, dwy fusnesan fawr oeddan nhw, oedd yn ddigon hyf i dorri'r gyfraith er mwyn cael sgandal.

'Reit, tân 'dani,' meddai Mabli, 'dwi'n tagu isio panad.'

'Gei di dalu!'

Rhoddodd Mabli dortsh ei ffôn ymlaen eto, a sylwodd mai dim ond un bar o'r batri oedd ar ôl. Daria, byddai'n rhaid iddi beidio â'i wastraffu.

Cerddodd Sera at y ddresel gan dybio y byddai dogfennau o ryw fath yn llechu yn y drôr, a phenderfynodd Mabli fentro am y llofftydd. Byddai mwy o olau naturiol i fyny yn fanno, siawns.

Gwelodd fod dau ddrws ar ben y grisiau, a throediodd yn araf ofalus i fyny pob gris er mwyn eu cyrraedd. Gallai arogli rhywbeth rhyfedd, annymunol, felly rhoddodd ei llawes dros ei cheg. Yna stopiodd.

Roedd Sera'n canu a hymian iddi ei hun.

Trodd Mabli yn ôl i lawr y grisiau er mwyn gweld beth oedd yn mynd ymlaen: roedd Sera yn canu cân jazz hen ffasiwn wrth dyrchu drwy ddrôr y dresel.

'Ba-baaa, ba-baaaa, ba-ba-ra-ra ra-raaaaaa, ba-baaaa, ba-baaaaa ...'

'Sera?'

Stopiodd y canu.

'M?' gofynnodd ei ffrind, gan godi ei phen i edrych arni.

'Be ti'n wneud?' Syllodd Mabli yn hollol hurt ar ei ffrind. Doedd Sera byth yn canu, heb sôn am ganu mewn tiwn. Petai hi am ganu, byddai'n rhaid iddi fod wedi cael llond tanc o lysh, a byddai'r gân yn gorfod bod yn rhywbeth o'r siartiau y byddai wedi'i glywed ar orsaf radio Capital. Ond jazz?

'Ym ... chwilio am ...' dechreuodd, cyn chwerthin. 'Ro'n i'n mynd i ddeud "chwilio am gyllyll a ffyrc"!'

'Cyllyll a ffyrc?' rhyfeddodd Mabli.

'Papurau. Dwi'n chwilio am bapurau neu rwbath o iws i dy helpu di efo dy waith,' atgoffodd Sera ei hun, gan synnu at y dryswch a chwalodd drosti. Yna, caeodd y drôr ac agor un arall.

'Reit, dwi am fynd yn ôl i weld be sy fyny yn y llofft,' meddai Mabli wrthi cyn troi am y grisiau. 'Mi ro i waedd os ffeindia i rwbath.'

'Iawn, Mam.'

* * *

Roedd y distawrwydd wrth y bwrdd bwyd yn annioddefol. I gyfeiliant clecian y tân yn y stôf, bwytaodd teulu bach 6 Trem yr

Ywen yn araf ac anghyfforddus. Syllai Betsan yn ei blaen gan daflu cipolwg ofnus ar ei rhieni ac ar ei brawd bob yn hyn a hyn. Gwnâi ei mam yn siŵr fod Emrys yn bwyta pob llwyaid o'r potas tatws yn daclus, a chladdai Tada bob cegaid heb adael i'r bwyd gyffwrdd ag ochrau ei geg. Anadlai yn swnllyd drwy ei drwyn wrth fwyta a thyfai atgasedd Betsan tuag ato gyda phob eiliad.

Ymhen hir a hwyr, roedd pob plât yn wag ac yn ôl ei arfer, tynnodd Emrys yn llawes ei fam gan edrych i gyfeiriad y llawr. Gafaelodd hithau yn y darn papur a roddodd ar ochr y gadair cyn dechrau bwyta.

'Mae Emrys am i chi weld hwn, Tada. Mae o wedi bod yn gweithio'n galed arno fo drwy'r pnawn.'

Wedi gollwng ochenaid hir drwy ei drwyn – arwydd o'i anfodlonrwydd am beidio â chael dau funud o lonydd ar ôl ei bryd – estynnodd Tada am ei sbectol a'i rhoi ar ei drwyn llydan. Edrychodd ar y papur am rai eiliadau, yna tarodd olwg ar Emrys, oedd yn eiddgar am unrhyw fath o gymeradwyaeth ganddo. Siglai'n ôl ac ymlaen yn ei gadair â'i ben i lawr, fel plentyn wedi gwneud drwg, â'i afael yn dynn yn llawes ei fam. Ymhen hir a hwyr, atseiniodd llais trymaidd ei dad.

'Wel, rydw i'n meddwl, Emrys, mai twll mawr du tragwyddoldeb ydi hwn ar dy bapur di. Twll y syrth y gwan iddo yn ddigon hawdd pe delid nhw gan demtasiynau'r fall,' meddai, gan syllu'n sarrug ar ei fab.

Taro golwg sydyn ar y nenfwd wnaeth ei mam, a synnodd Betsan o weld yr arwydd anghyffredin o ddiffyg amynedd tuag at ei gŵr. Yna, sylwodd fod llygaid mawr duon ei brawd yn edrych yn ddifrifol ar y llawr wrth ymyl Tada. Cynigiodd Tada'r papur yn ôl i Emrys ac estynnodd yntau amdano. Ond cyn ildio'r papur daliodd Tada ei afael ynddo, a dychrynodd hynny'r dyn ifanc ofnus nes iddo gymryd ei wynt yn sydyn, fel ag y gwnaeth Betsan a'i mam.

'Ydw i'n dweud y gwir, hogyn?'

Ddaru Emrys ddim ateb, dim ond nodio'i ben yn sydyn nes bod ei giw-pi yn sboncio ar ei dalcen. Gadawodd Tada i hynny barhau yn rhy hir cyn iddo, o'r diwedd, ollwng y papur. Cododd Emrys o'i gadair gan sythu'r papur a rhedeg i'r llofft gan wichian.

'Mae angen torri crib yr hogyn na, Leusa.'

Ffieiddiodd Betsan at ei thad. Pa hawl oedd ganddo i boenydio'i fab? Doedd dim bai ar Emrys am fod fel yr oedd o, a gwyddai Tada nad oedd dim yn bwysicach i'r llanc na chael sêl bendith ei dad. Waeth iddo heb â thrio. Gan nad oedd Emrys yn medru ennill cyflog, doedd o'n ddim ond maen melin am eu gyddfau, yng ngolwg yr hen genau rhagrithiol. Penderfynodd fynd ar ôl ei brawd.

'A waeth i titha heb â mynd i lyfu'i glwyfa fo chwaith, 'mechan i,' meddai'r penteulu'n chwyrn ar ei hôl. Arafodd Betsan wrth ddrws y parlwr gorau, ond ni throdd i edrych ar ei thad.

'Mynd i frwsio'i grib o rydw i,' meddai dros ei hysgwydd. Oedd, roedd hi braidd yn hy', ystyriodd, ond roedd hi wedi hen golli parch tuag at ei thad. Erbyn hyn, roedd hi'n prysur golli'r ofn a deimlai tuag ato hefyd. Wrth ddringo'r grisiau, clywodd ei thad yn gofyn i'w mam yn ddilornus;

'Ydi Richard wedi agor siop walltiau rŵan hefyd?'

'Gymrwch chi baned, William?' oedd ateb ei wraig.

* * *

Cyn i Mabli agor drws y stafell fach o'i blaen ar ben y landin, teimlai fel petai'n gwybod mai stafell dywyll i ddatblygu lluniau oedd y tu ôl iddo. Roedd hi'n iawn – fel rhesaid o ddannedd blêr yn sgleinio yng ngolau ei ffôn, hongiai lluniau yno ar linyn brau. Caeodd Mabli'r drws yn sydyn wrth i arogl rhyfedd yr ystafell lenwi ei ffroenau. Ych a fi, meddyliodd. Arogl yr hen gemegion ar gyfer datblygu'r lluniau, mae'n rhaid. Doedd hi'n gwybod dim am y broses o ddatblygu lluniau, ond roedd hynny'n arfer bod yn hobi gan Arwyn, ei bòs. Tybed fyddai'n syniad dod ag o yma i gael golwg ar bethau?

Clywodd lais Sera o'r llawr isaf.

'Be?' gwaeddodd Mabli i lawr y grisiau – roedd hi'n swnio fel petai Sera yn cael sgwrs efo rhywun ar dop ei llais. Oedd rhywun wedi eu dilyn i'r tŷ? Tybed oedd Seimon wedi dod i nôl ei gôt? Camodd i lawr y grisiau yn ysgafnach ei chalon er mwyn clywed y sgwrs.

'Ond meddyliwch, Mam, mi allwn ni fynd i fyw at Dewyrth Richard, neu mi all o ddod aton ni. Tydi'r byd ddim wedi dod i ben rŵan fod Tada wedi marw. Meddyliwch am y lles wnaiff hynny i Emrys.'

Be ddiawl?

'Pam na fedrwch chi weld mai dim ond lles ddaw o hyn, Mam?'

Pan gyrhaeddodd Mabli waelod y grisiau gwelodd fod Sera yn sefyll o flaen yr hen ddresel ac wedi tynnu ei hesgidiau. Doedd neb arall yno.

'Sera, be ddiawl ti'n wneud?'

Trodd Sera i edrych i gyfeiriad Mabli heb edrych arni'n uniongyrchol, fel dynes ddall. Dychrynodd Mabli. Doedd Sera ddim yn un i chwarae o gwmpas, ac yn sicr doedd hi ddim yn actores gystal â hyn. Rhaid oedd gadael – yr eiliad honno.

'Sera, ma' hi'n amser mynd o 'ma,' meddai Mabli mewn panig.

'Ond Mam, fedrwch chi ddim gweld, fydd dim rhaid i chi fynd ar y plwy, siŵr iawn – mi edrychith Dewyrth Richard ar ein holau ni!'

Chwalodd ias oer dros gefn Mabli. Sylweddolodd, o'r diwedd, ei bod hi wedi bod yn y tŷ hwn o'r blaen. Dyna pam fod y lle yn codi'r crud arni. Cofiodd yr hen deimlad anghynnes yr oedd hi'n ei deimlo rŵan, a chofiodd mai yn yr ystafell hon y teimlodd hi felly ddiwethaf. Roedd rhywbeth wedi meddiannu Sera ac roedd yn rhaid ei heglu hi oddi yno – rŵan.

Camodd Mabli at ei ffrind er mwyn gafael ynddi a'i hebrwng drwy'r gegin am allan, ond tynnodd Sera oddi wrthi'n syth.

'Peidiwch, Mam, da chi!' plediodd.

'Sera, 'dan ni'n mynd o'r basdad lle ofnadwy 'ma. Rŵan!'

Yna, clywodd sŵn peltan a gwelodd Sera'n troi ei hwyneb i un ochr. Rhoddodd ei llaw ar ei boch fel petai'n ei hamddiffyn ei hun, yna daeth sŵn slap arall, a chododd Sera ei breichiau dros ei phen fel petai rhywun yn hanner ei lladd. Suddodd i'w phengliniau ar lawr.

'Na, Mam, peidiwch, peidiwch!' llefodd.

'Ond Sera, dwi ddim yn gwneud dim byd i dy frifo di'r gloman wirion! Drycha, mae 'nwylo fi'n fan hyn!' sgrechiodd Mabli, gan godi ei dwylo i fyny o'i blaen. Yna, tynnodd Sera ei hwyneb o'r tu ôl i'w breichiau ac edrych ar Mabli'n gyhuddgar.

'Na chewch! Fy ffrog *i* ydi honna, chewch chi ddim twtshad ynddi. Doedd gan Tada ddim hawl i'w rhwygo hi!' Dychrynodd Mabli pan sylwodd fod boch dde Sera'n fflamgoch.

'Reit, stwffio hyn!' meddai Mabli'n ddiamynedd, gan afael ym mreichiau Sera er mwyn ceisio ei chodi oddi ar y llawr a'i gwthio i gyfeiriad y gegin. Yn anffodus i Mabli, roedd Sera'n gryfach o lawer na hi, a chafodd ei gwthio i gyfeiriad y drych. Plygodd sawdl ei hesgid oddi tani a tharodd yn erbyn y drych mawr gan dynnu'r gynfas oddi arno. Gwelodd Sera ei chyfle a gwibiodd i fyny'r grisiau gan ddal i afael yn ei boch.

Cododd Mabli, ond cyn iddi fedru ei dilyn clywodd sŵn cerddoriaeth hen ffasiwn tunaidd, fel petai'n cael ei chwarae ar gramoffon, yn dod o'r llofft. Trwmpedau, trombonau, iwcalili, clarinét ... sŵn band o'r 1920au. Ai hon oedd y gân y bu Sera yn ei chanu yn gynharach, tybed? Ac yn bwysicach, o ble roedd y sŵn yn dod?

Drwy gornel ei llygad gwelodd rywbeth yn symud. Caeodd ei llygaid mewn ofn. Ei chyfrifoldeb cyntaf oedd mynd ar ôl ei ffrind gorau, ond roedd cornel yr ystafell yn mynnu ei sylw.

Wrth droi ei phen yn araf iawn, agorodd ei llygaid. Cododd y sŵn yn uwch hefyd, a gallai glywed llais yn canu.

'*Don't forget to mess around, when you're doing the Charleston, Charleston ...*'

Roedd y sŵn yn dod o'r drych. Cofiai Mabli erbyn hyn mai ar y drych yr oedd y bai am bopeth. Heb oedi, tynnodd ei hesgid oddi am ei throed a throi'r sawdl i wynebu'r drych. Ond cyn ei daro â holl nerth ei chorff bychan clywodd sŵn camau Sera'n dod o'r llofft. Edrychodd ar y nenfwd i gyfeiriad sŵn y troedio trwm.

'Dyna ni, Emrys, cicia dy draed i'r ochr fel petai gen ti gi bach niwsans yn trio dy frathu di! Ha ha ha! Dyna fo, fel'na'n union! Rŵan tro efo fi!'

Ysgydwodd Mabli ei phen. Cododd y gerddoriaeth yn uwch ac yn uwch nes ei fod bron â bod yn fyddarol. Trodd i edrych ar y drych yn benderfynol a thynnodd ei braich dde yn ôl, ei hesgid yn barod i'w fwrw'n deilchion. Anadlodd yn ddwfn, a –

'Paid!'

Gafaelodd llaw gadarn yn ei braich. Sgrechiodd Mabli dros y tŷ, ac ar hynny, distawodd y gerddoriaeth a distawodd sŵn Sera yn y llofft hefyd.

'Ma' hi'n rhy hwyr,' meddai'r dyn a oedd erbyn hyn yn gafael yn ei dwy fraich. ''Dan ni wedi'i cholli hi.'

Stryffagliodd Mabli i ryddhau ei hun o'i afael.

'Gollwng fi! Gollwng fi!' Ceisiodd frathu dwylo'r dyn, ond daliodd yntau ei afael yn ei breichiau mor dynn nes y gorfodwyd hi i ollwng yr esgid. Dyna pryd y sylweddolodd Mabli nad oedd diben iddi brotestio na gwingo. Roedd ei phen yn troi. Edrychodd ar berchennog y dwylo a'i daliai.

'Baltws!' meddai, fel dynes chwil yn dod ar draws hen ffrind ysgol. 'Baltws Cardrona!'

Safodd y ddau felly am eiliadau hirion iawn, ac o'r diwedd teimlodd Mabli ei afael yn llacio.

'Does 'na ddim byd y gallet ti fod wedi'i wneud i'w hachub hi, coelia fi,' meddai'r dyn yn dyner.

Roedd hi'n cofio rŵan. Roedd hi'n cofio hwn – y dyn a safai o'i blaen – yn siarad efo hi. Roedd hi hefyd yn cofio iddi golli Seimon yn y tŷ yn yr un modd â Sera. Roedd rhywbeth dieflig ynglŷn â'r tŷ 'ma.

'Pam na cha' i ddim malu'r drych 'ma'n deilchion?'

'Achos unwaith maen nhw ynddo fo, maen nhw'n sownd,' eglurodd Baltws gan godi'r gynfas wen a'i rhoi dros y celficyn, bron fel petai yn ei amddiffyn. 'Os torri di'r drych, fydd 'na ddim un ffordd ar y ddaear y gallan ni eu cael nhw'n ôl.'

Estynnodd ei law tuag at y soffa mewn arwydd iddi eistedd arni, ond gwrthododd hithau'r gwahoddiad.

''Sgin i ddim amser i hyn!' meddai Mabli gan igian. 'Pam bod Sera'n siarad yn rhyfedd? Dwi'n nabod yr hogan ers pan oeddan ni yn yr ysgol. Fuodd ei Chymraeg hi 'rioed mor raenus. Be ddigwyddodd iddi?'

'Mae'r drych yn medru effeithio'n wahanol ar bobol. Mae o'n medru eu meddiannu nhw, eu llyncu nhw ... mae ganddo bob math o ffyrdd o ddwyn pobol ...' sibrydodd Baltws yn drist.

'Ond eu dwyn nhw i lle? Ac i be?'

'I ddimensiwn arall. Dwi'n amau ei fod o wedi bod yn dwyn eneidiau o'r tŷ yma ers blynyddoedd.'

Rhwbiodd Mabli ei llygaid yn galed. Roedd hyn yn rhoi tro annisgwyl yn stori Jac Percy a doedd ganddi ddim stumog i feddwl beth oedd wedi digwydd i Seimon a Sera. Oedd unrhyw fodd o'u hachub? Edrychodd ar ei ffôn. Roedd yn farw.

'Sut ydan ni'n mynd i fedru achub Seimon a Sera o'r hunllef 'ma?'

Pan oedd Baltws yn fodlon fod y drych wedi'i orchuddio'n gyfan gwbl, trodd ati.

'Gad ti hynny i mi,' meddai, ei lais yn llawn sicrwydd ffug.

Ymsythodd Mabli, a sylwodd pa mor las oedd ei lygaid, fel

petai modd iddi neidio iddynt a boddi. Cododd ei bys at ei wyneb fel petai ar fin dweud rhywbeth, ond gollyngwyd hi gan ei choesau. Camodd Baltws yn ei flaen a dal ei chorff llipa yn ei freichiau. Roedd hi'n cysgu'n sownd.

'Da'r hogan,' meddai, gan ei chario drwy'r stafell ganol, drwy'r gegin ac allan i'w char.

Dydd Mawrth, Hydref 20

Gan fod yr haul yn sbecian rhwng y cymylau bob hyn a hyn a'r awel heb fod yn rhy gryf, roedd Glenda wedi penderfynu rhoi cadeiriau a byrddau ar y pafin y tu allan i'r caffi. Ym mhrysurdeb yr awr ginio eisteddodd Mabli ar un o'r cadeiriau yn yr haul – doedd dim angen iddi godi ei phen o'i ffôn i ddod at y cownter i archebu, oherwydd gwyddai Glenda Wyn yn iawn mai wedi dod yno am goffi du oedd hi, fel y gwnâi bob amser cinio. Aeth â'r baned ati.

'At eich gwasanaeth!' meddai, gan osod y coffi ar y bwrdd. 'Ti'n iawn, 'mach i?' Sylwodd Glenda nad oedd Mabli'n edrych cweit mor sbriws ag arfer.

'Iawn, Glenda,' atebodd Mabli, 'diolch.'

'Brysur?'

'Y ... digon i'w wneud yn y gwaith. Dach chi'n gwbod amdana i,' meddai, gan fentro gwên fach.

'Oes 'na rywun yn dod yma atat ti heddiw?'

'Nag oes, jest meddwl y basa awyr iach yn gwneud lles i mi ar ôl bod yn y swyddfa 'na drwy'r bora.'

'O, dyna ni.' Roedd Glenda'n bendant fod rhywbeth ar feddwl Mabli. 'Wel, cofia weiddi os ti isio rwbath i'w fwyta.'

'Mi wna i, diolch Glenda,' atebodd Mabli gan ddal i syllu ar ei ffôn. Cyn troi oddi wrthi, gwelodd Glenda beth oedd ar y sgrin, a phenderfynodd adael llonydd i'r ferch ifanc synfyfyrio drosto. Blwmin' dynion, meddyliodd.

Roedd Mabli yn syllu ar lun reit rhyfedd. Bu'n chwilota drwy oriel ei ffôn er mwyn gweld a oedd unrhyw dystiolaeth yno o'r hyn y bu'n ei wneud y noson o'r blaen, cyn iddi fynd yn sâl. Cyn i Seimon ddiflannu heb ddweud dim wrth neb.

Hunlun oedd o. Hi oedd yn gafael yn y ffôn, yn gwneud wyneb gwirion fel petai'n smalio dychryn. Ond y tu ôl iddi roedd wyneb Seimon, a doedd o ddim yn actio cymaint â hi. Roedd golwg arno fel petai wedi'i daflu oddi ar ei echel. Yn y cefndir gwelid fflach y camera, oedd yn awgrymu eu bod un ai yn sefyll o flaen ffenestr neu ddrych. Doedd ganddi ddim syniad ble roedden nhw pan dynnwyd o, na pha adeg o'r nos oedd hi chwaith.

'Dianc i fama wnest ti, ia?'

Cododd ei phen pan glywodd y llais.

'Helô, Arwyn! Wedi dod allan i glirio 'mhen.'

'O, wela i. Ar y ffordd i swyddfeydd y cyngor ydw i, i gyfweld Ned Powell ynglŷn â'r ffordd osgoi 'ma.'

Gwelodd Arwyn yr hunlun, a deallodd pam fod meddwl Mabli wedi bod ymhell dros y dyddiau diwethaf.

Cododd chwa o wynt, a rhoddodd Arwyn ei gês i lawr er mwyn gwisgo'r gôt oedd yn hongian dros ei fraich.

'Mae'r hin yn troi, Mabli. Lwcus i mi ddŵad â hon efo fi.'

Gwenodd Mabli arno'n barchus.

'Glywaist ti rwbath gan Seimon?' mentrodd ofyn.

'Naddo, dim eto,' atebodd Mabli'n swta, gan gloi ei ffôn a'i roi i lawr ar y bwrdd.

Cododd Arwyn ei gas er mwyn ei chychwyn hi am swyddfeydd y cyngor. Cyn mynd, trodd ati.

'O ia: Beti George.'

'Y?'

'Mi fu Jac Percy ar ei rhaglen hi o gwmpas canol y nawdegau. Tua 1995, dwi'n siŵr, ddim yn hir ar ôl iddo fo gael dyrchafiad i'r gadair yn y coleg. Dos ar ôl rhaglenni *Cofio* John Hardy, ac os na ffeindi di glip ar hwnnw, tria Youtube. Fel arall, cysyllta efo Radio Cymru.'

'O, diolch Arwyn. Mi a' i ar eu holau nhw pnawn 'ma,' meddai Mabli, gan deimlo rhyddhad fod ganddi rywbeth concrid i fynd i'r afael ag o fyddai'n tynnu ei meddwl oddi ar yr hunlun rhyfedd ar ei ffôn. Agorodd yr ap nodiadau arno a theipio 'Beti G. Radio C. 1995. John Hardy, *Cofio*.'

'Hwyl rŵan,' galwodd Arwyn dros ei ysgwydd.

'Neith o'm digwydd wrth i chdi sdêrio arno fo, 'sti!'

Llais Sera, a gwelodd Mabli hi'n cerdded tuag ati.

'Y?'

'Chdi, 'de! Sdêrio i ganol nunlla.'

'Arwyn sydd newydd fynd o 'ma. Ti'n aros?'

'Na, dwi'n cyfarfod Mam yn dre mewn dau funud. Dydd Iau dwi *off* gwaith, ond doedd Mam ddim yn rhydd adag honno, felly 'dan ni'n cyfarfod heddiw yn lle,' meddai, gan dynnu ei bag llaw bach oddi ar ei hysgwydd a'i roi ar y bwrdd o flaen Mabli. Tyrchodd drwyddo i nôl ei ffôn. Wrth iddi wneud hynny, daeth chwa o wynt i godi tomen o dderbynebau o'r bag gan achosi iddynt chwyrlïo'n rhubanau i bob man.

'O, *that's it* rŵan 'de!' cwynodd.

Chwarddodd Mabli am ei phen heb gynnig ei helpu o gwbwl.

'Dwi 'di cael llond fflipin bol o'r bag bach piwni, stiwpid 'ma. Does 'na ddim pocedi ynddo fo o gwbwl ac ma' bob dim ar draws 'i gilydd a dwi'n methu ffeindio dim byd ynddo fo.'

'Duwcs, pryna un newydd yn dre,' cynigiodd Mabli.

'Ia,' meddai Sera'n bendant. 'Dyna be wna i. Mi bryna i uffar o *handbag* mawr, fel y galla i ffitio bob blydi dim iddo fo.' Sylwodd Sera fod ffôn Mabli yn ei llaw.

'Glywist ti ganddo fo?'

Doedd dim raid iddi egluro mwy. Ysgydwodd Mabli ei phen heb ddweud dim.

'Wîyrd, 'de! Ma' siŵr fydd o'n iawn, 'sti! Eniwe, rhaid i fi fynd. Lyf iw!' Chwythodd gusan at Mabli a cherddodd ymaith.

'Ta-ra.'

Dydd Iau, meddyliodd Mabli. Efallai y gallai wneud efo help Sera bryd hynny. Yna trodd yn ôl at ei ffôn.

Cyn iddi gael cyfle i ailedrych ar yr hunlun ar ei ffôn, clywodd Mabli goesau'r gadair agosaf ati yn crafu yn erbyn y palmant cyn i rywun ollwng ei hun yn drwm iddi.

Syllodd Mabli ar y dyn yn gegrwth. Ddywedodd o ddim wrthi, dim ond syllu ar y bobol a'r ceir a basiai heibio iddynt, a disgwyl iddi gofio pwy oedd o. Ymhen hir a hwyr, cododd Mabli sgrin ei ffôn o flaen ei wyneb.

'Ti'n gwybod rwbath am hwn?' gofynnodd iddo.

Edrychodd Baltws ar y sgrin. Dyna ddiddorol. Wnaeth hi ddim dangos y llun iddo y diwrnod o'r blaen, pan aeth ati i'w thŷ.

'*Hwnna* ydi dy Seimon di?'

'Ia! Pam?'

'Dim. Peth hyll ydi o, 'de!'

Agorodd Mabli ei cheg mewn sioc. 'Nac'di tad! Eniwe, drycha arno fo'n iawn,' meddai'n biwis, a symud y ffôn yn nes at ei wyneb.

'Does dim rhaid i mi sbio'n iawn arno fo – mi fedra i weld pa mor hyll ydi o o fan hyn.'

'Dim ar Seimon! Y cefndir!'

Gafaelodd Baltws yn y ffôn. Gwyddai yn iawn ar beth roedd o'n edrych, ond doedd dim diben iddo egluro'r cyfan i Mabli. Byddai'n rhaid iddo aros iddi hi ei hun gofio, neu dim ond tameidiau o atgof fyddai ganddi, ac ni fyddai'r rheiny'n dychryn digon arni i'w hatal rhag dychwelyd i'r tŷ a rhoi ei hun mewn perygl. Ond ymhen hir a hwyr sylweddolodd y byddai'n rhaid iddo brocio ei chof unwaith yn rhagor – jest procio, dim ond digon iddi gofio ble bu hi, a'r hyn y bu'n ei wneud; a chofio'r hyn eglurodd o wrthi ychydig ddyddiau'n ôl.

I mewn yn y caffi, syllai Glenda Wyn drwy'r ffenestr mewn syndod.

'Argol fawr!' meddai wrthi ei hun. 'O ble ar wyneb y ddaear ddaeth hwnna?'

* * *

Rhagfyr 31ain 1999

Rhoddodd Jac Percy y ffôn i lawr yn ei grud. Doedd arno ddim math o eisiau gweld hwn yn dod draw i'w dŷ, nag oedd wir.

Lwyddodd Jac ddim i fwynhau'r Nadolig o gwbwl. Roedd pawb arall wedi eu llesmeirio â'r profiad o groesi'r ffin o un mileniwm i'r llall, a dyna fyddai ar feddwl Jac hefyd oni bai i alwad ffôn darfu arno ar noswyl y Nadolig. Bu'n aros am wythnos gyfan wedi hynny am yr alwad ffôn yr oedd newydd ei chael ... pinacl difrifol nad oedd modd ei osgoi.

Edrychodd o'i gwmpas ar y rigins Dolig cartrefol o'i gwmpas, y celyn a'r goleuadau lliwgar, a theimlodd yr hiraeth am Janice, ei ddiweddar wraig, yn brathu eto fyth. O gwmpas y lle tân roedd y cardiau cyfarch wedi'u gosod yn ôl traddodiad y ddau, a chofiodd am hoffter Janice o dderbyn cardiau â Robin goch arnynt. Doedd Janice ddim wedi byw yn 6 Trem yr Ywen o gwbl ond ei rigins hi oedd y rhain, a byddai Jac yn fodlon ffeirio pob un ohonynt am ei chwmni heno yn hytrach na chwmni'r crinc oedd ar ei ffordd yno.

Sylwodd ar oleuadau'n fflachio y tu allan – oedd rhywrai yn y pentref wedi penderfynu tanio tân gwyllt? Na, allai o ddim clywed eu clecian. Efallai ei fod yn dychmygu pethau. Wedi'r cyfan, doedd o ddim wedi bod yn teimlo'n iawn ers wythnosau. Doedd hynny'n ddim i'w wneud â'r gwin y bu'n yfed fymryn gormod ohono yn ddiweddar; roedd o'n fwy i'w wneud â'r anesmwythder dybryd y bu'n ei deimlo yng nghwmni ei fyfyriwr medrus, Cadfri Beiddwy. Tyfodd y teimlad anesmwyth ar ôl i'r coleg gau am y gwyliau Nadolig, wrth i'r bachgen ymddwyn yn fwy hyf – yn rhy hyf o lawer, yn ei farn o. Roedd Jac hyd yn oed wedi dechrau teimlo'n anghyfforddus yn ei dŷ ei hun.

Ciciodd Jac ei hun am adael iddo'i hun gael ei swyno, fwy neu lai, gan y bachgen ifanc. Daeth yn fyfyriwr yn y coleg dri mis ynghynt pan gofrestrodd ar y cwrs Astudiaethau Celtaidd a Hanes ar ddechrau'r tymor. Bu iddo greu argraff ar yr adran yn syth – byddai'n hawdd wedi medru darlithio i'r myfyrwyr eraill gydag ystod eang ei wybodaeth o'r maes. Dyna pam y cymerodd Jac ef dan ei adain a chynnig gwersi ychwanegol iddo.

Derbyniodd Cadfri ei gynnig, a dechreuodd ymweld â chartref Jac ar ôl i'r coleg gau ar ddiwedd tymor y gaeaf. Aeth y sesiwn gyntaf yn dda am yr hanner awr cyntaf, ond buan y trodd sylw Cadfri at y dodrefn oedd mewn casys pren yng nghornel ystafell fyw Jac ac yn ei ystafell wely. Holodd y llanc ef yn dwll yn eu cylch mewn ffordd mor gyfrwys fel y chwydodd Jac y cwbwl a wyddai am y drychau, a'r dirgelwch o gwmpas diflaniad Glandon Richards fu'n byw yn y tŷ o'i flaen. Bu'n rhaid i Jac chwilio am fanylion perchennog y tŷ er mwyn medru ei rentu, eglurodd, cyn disgrifio'r sgyrsiau a gafodd â chwaer Glandon ynglŷn â'r eiddo oedd wedi ei adael ganddo yn y tŷ. Soniodd am y lluniau dychrynllyd y daeth ar eu traws yn stafell dywyll Glandon, a sut y bu iddo ddysgu gan Catherine Williams, y perchennog, am y colledion a ddioddefodd ei theulu yn 6 Trem yr Ywen. Roedd Catherine wedi deall, meddai, fod perygl dybryd yn gysylltiedig â'r drychau – eglurodd fod y drych yn yr ystafell fyw wedi cael ei osod yn anarferol o ddwfn yn llawr y tŷ, a bod y llanast o amgylch y llall i fyny'r grisiau wedi'i achosi gan Glandon. Ers iddo symud i mewn i'r tŷ, dysgodd Jac yntau fod rhywbeth annaearol ynghylch y drychau, a bod angen iddo ei warchod ei hun rhagddynt. Adeiladodd gasau pren o amgylch y ddau i'w cuddio.

Doedd Jac ddim wedi sôn wrth neb am y drychau cyn hynny,

rhag ofn i bobol feddwl ei fod o'i go', ond yng nghwmni Cadfri, daeth yr wybodaeth allan ohono fel dŵr o dap. Roedd hi'n amhosib symud y drych yn yr ystafell fyw beth bynnag, felly doedd dim dewis ond eu cadw yn y tŷ a rhoi rhywbeth drostynt i'w cuddio.

Roedd Jac wedi gobeithio y byddai'r myfyriwr galluog yn cytuno i'w helpu i ymchwilio i hanes y drychau, ond roedd Cadfri fel petai wedi cael ei feddiannu'n llwyr gan yr wybodaeth amdanynt. Cofiodd Jac sut y bu i lygaid gleision y llanc befrio wrth iddo edrych ar luniau Glandon – roedd rhyw chwant newynog yn llosgi ynddynt, a doedd Jac ddim llai nag ofn wrth weld ei ymateb.

Ar ôl hynny, ceisiodd Jac luchio dŵr oer ar obsesiwn y bachgen ynglŷn â'r drychau, ond poeri yn erbyn y gwynt oedd hynny. Cynyddodd poen meddwl Jac bob dydd, tan noswyl y Nadolig.

Ar Ragfyr 24ain, eisteddai Jac yn ei hoff gadair gyfforddus gyferbyn â'r lle tân yn ystafell ganol 6 Trem yr Ywen. Wrth ei ochr roedd gwydraid bychan o sieri, a deuai carolau Nadolig o'r set radio fechan gerllaw. Gallai weld goleuadau'r goeden Nadolig yn wincio arno o'r ystafell ffrynt, a rhoddai hynny rywfaint o gysur iddo.

Ond roedd meddwl Jac ar y llyfr oedd ar ei lin: *The Sacred Yew* gan Diana Brueton ac Anand Chetan a gyhoeddwyd yn 1994. Bu iddo sylwi ers tro ar ryw frownio annaturiol o amgylch godre'r ywen fawr o flaen ei gartref, a doedd o ddim yn hapus nad oedd y Parc Cenedlaethol na'r Comisiwn Coedwigaeth yn dangos diddordeb yn ei hamddiffyn.

Penderfynodd ymchwilio i heintiau ar goed yw er mwyn dysgu beth y gellid ei wneud i'w hachub – roedd hon yn ywen o bwys, wedi'r cyfan, ac yn un o'r rhai enwocaf yng Nghymru gan nad oedd hi ar dir cysegredig. Wel, nid ar dir oedd yn gysegredig i'r Cristnogion, beth bynnag. Roedd y ffaith na hawliwyd hi gan Gristnogion yn ei blesio, am ryw reswm.

I'r Celtiaid, dysgodd, porth oedd y ceudod y tu mewn i foncyff ywen, neu fynediad i fyd arall. Roedd yr ywen hefyd yn puro bywydau o'r hyn oedd yn eu dal yn ôl – yn helpu trigolion i gael gwared ar yr hen er mwyn gwneud lle i'r newydd. Tybed oedd yr ywen hon wedi cael ei phlannu yma'n fwriadol, ynteu ai hedyn oedd wedi egino yno ar ddamwain, ystyriodd Jac. Os mai bwriadol oedd ei phlannu, yna doedd wybod pa gyfrinachau oedd yn llechu ar y clwtyn hwn o dir.

Cododd ei ben o'r llyfr pan sylwodd fod rhywun y tu allan yn fflachio goleuadau car. Cododd at y ffenestr. Ni allai weld dim, ond neidiodd allan o'i groen pan drodd yn ôl at ei gadair a gweld Cadfri'n sefyll yn nrws y stafell ganol yn syllu arno.

Fel arfer, byddai Cadfri'n cnocio a chael croeso, er bod y croeso hwnnw wedi pallu'n ddiweddar. Ond heno, roedd yn amlwg wedi cerdded yn syth i mewn.

'Mae'ch drws ffrynt chi wedi chwyddo,' meddai, yn lle eglurhad.

Ar gais Cadfri, aeth Jac i'r gegin i wneud paned. Tra oedd o yno, clywodd sŵn chwalu'n dod o'i ystafell fyw – roedd Cadfri wedi malu'r cas pren a dinoethi'r drych oedd ynddo. Lledodd distawrwydd dros y tŷ ar ôl i'r sŵn beidio, a doedd dim i'w glywed ond te'n diferu ar linoleum y gegin o'r tebot roedd Jac wedi ei ollwng.

Yna, clywodd Jac sŵn traed Cadfri'n brysio i fyny'r grisiau i'w lofft o ei hun, a sŵn dryllio'r bocs oedd am y drych arall. Dyna pryd y sleifiodd Jac i'r ystafell fyw i daflu planced oedd ar gefn y soffa dros y drych, i'w arbed ei hun rhagddo.

'Be sy ar dy ben di, hogyn, yn bihafio fel hyn yn nhŷ rywun arall?' gwaeddodd ar Cadfri pan ddaeth hwnnw i lawr y grisiau. ''Sgin ti'm hawl i falu eiddo neb – does gen ti ddim teulu i fod efo nhw ar noswyl Nadolig, o bob noson?'

Oerodd ei waed wrth glywed ymateb Cadfri.

'Byddwch yn onest, Jac – nid eich eiddo chi ydi'r drychau

'ma, na'r tŷ chwaith. Dwi'n gwybod am fodolaeth y drychau 'ma ers oesau maith, ac wedi bod yn chwilio drwy'r galaethau amdanyn nhw. Fy ngwaith i ydi dod o hyd iddyn nhw a sicrhau eu bod nhw'n cael eu … bwydo, ddeudwn ni, gan eneidiau pobol o'r byd yma a bydoedd eraill.'

'Am be gythraul wyt ti'n sôn, y cnaf bach?'

'Jac, rydach chi'n enaid gwerth ei gael, coeliwch chi fi. Yn gymeriad crwn, cryf – ac mi fentra i ddweud bod ganddoch chi andros o *ego* hefyd. Mae'r drychau'n lecio hynny.'

'Gwranda'r Satan, mi wna i ymddwyn yn union fel lecia i yn fy nhŷ fy hun, wyt ti'n clywed?' sgyrnygodd Jac.

'O, peidiwch â gwylltio gormod rŵan. Y Jac hunanfeddiannol mae'r drych angen ei ennill, nid y Jac blin gacwn. Mae 'na lai o rinwedd mewn enaid sydd wedi gwylltio. Dach chi'n gweld, Jac, mae 'na un math o enaid sy'n well na 'run arall: enaid hyderus sy'n cael ei roi iddyn nhw o'i wirfodd. Os llwydda i i ffeindio rhywun sy'n fodlon ei roi ei hun o'i wirfodd o flaen y drych, mi gaf fy ngollwng yn rhydd o 'nghyfrifoldeb i'r drychau. Afraid dweud, tydyn nhw ddim yn fodau neis iawn i weithio iddyn nhw.'

Dechreuodd Jac bwyso a mesur y sefyllfa. Oedd Cadfri'n dioddef o gyflwr a wnaeth iddo golli'i bwyll? Oedd o'n profi chwaliad nerfol? Oedd o eisiau bod yn berchennog ar y ddau ddrych ei hun? Ond parhaodd y llanc i siarad.

'Dyna pam rydw i am adael i'ch tymer chi dawelu, fel y gallwch chi fwynhau'r Nadolig, Jac. Mi ddo' i'n ôl yma noswyl Calan, ac mi gawn ni sgwrs am y drychau bryd hynny.'

Cerddodd Cadfri yn hunanfeddiannol at y drws ffrynt, ac wrth iddo frwydro i agor y drws ffrynt stiff gwelodd Jac fod y drych sgwâr ar y wal, lle dylai adlewyrchiad Cadfri fod, yn gwbl wag.

Gallai Jac yn hawdd fod wedi dianc oddi yno'r noson honno, ond roedd yr elfen benderfynol, benstiff o'i gymeriad yn ei atal. Doedd neb yn mynd i'w hel o o'i gartref. Roedd o wedi byw yno ers 1984 heb i'r drychau darfu o gwbwl ar ei fodolaeth, a doedd o ddim yn mynd i adael i'r Cadfri 'ma amharu ar ei fywyd. Ond nawr, wythnos ar ôl ei ymweliad, a hithau'n noswyl Calan, roedd Cadfri ar ei ffordd yno.

Dydd Sul, Hydref 18

Doedd Mabli ddim yn siŵr p'un ai yn ei phen neu ar ei drws ffrynt yr oedd y gnoc a glywsai. Gan nad oedd hi'n teimlo gant y cant doedd ganddi ddim llawer o awydd gweld neb na mynd i nunlle – a diolchodd nad oedd Sera wedi ceisio newid ei meddwl pan ddywedodd wrthi nad oedd hi am fynd i'r caffi y diwrnod hwnnw.

Clywodd y gnoc eto. Seimon oedd yno, mae'n rhaid – o'r diwedd. Tarodd olwg ar ei ffôn rhag ofn ei fod wedi gyrru neges i ddweud ei fod ar ei ffordd, fel yr arferai wneud, ond doedd 'run. Yr unig negeseuon a dderbyniodd oedd rhai gan Sera, ac un gan Arwyn yn holi amdani, ac yn dweud y gallai ei stori am Jac Percy aros nes roedd hi'n teimlo'n well. Diolch am fòs mor ystyriol, meddyliodd.

Daeth y gnoc eto. Chwalodd y bendro drosti wrth godi, ond stryffagliodd am y drws.

* * *

Rhagfyr 31, 1999
Troad y degawd, troad y ganrif a throad y mileniwm, ac roedd Jac yn sefyll yn ei ystafell molchi er mwyn dianc rhag cwmni oeraidd, ymffrostgar Cadfri. Bu'n pendroni am funudau lawer ynglŷn â'r posibilrwydd o ddianc drwy'r ffenestr, glanio'n dawel ger ei ddrws cefn a sleifio oddi yno, ond gwyddai'n iawn nad oedd hynny'n bosib. Roedd o'n rhy hen ac yn rhy drwsgwl i bethau felly. Rhaid oedd ceisio rhesymu efo'r llanc i lawr y grisiau.
Llanc.

Meddyliodd Jac am y gair. Oedd o'n haeddu cael ei alw'n llanc? Bod dynol oedd 'llanc', ac ni wyddai Jac erbyn hyn beth oedd tarddiad y gŵr i lawr y grisiau. Doedd y cythraul cynllwyngar yn bendant ddim yn ddynol.

Sadiodd ei hun. Gwyddai y gallai ddal ei dir mewn dadl gystal ag unrhyw un – wedi'r cyfan, cafodd ddigon o brofiad o wneud hynny ar hyd y blynyddoedd yn ei waith yn ogystal ag ar raglenni megis *Pawb a'i Farn* a *Question Time*.

Ailosododd ei het am ei ben yn gadarn. Roedd yn rhaid iddo wynebu'r ysglyfaeth oedd yn aros amdano yn ei barlwr gorau – a bod yn glyfrach na fo, a'r un mor gynllwyngar.

Pan gyrhaeddodd ben y grisiau, edrychodd ar hen stafell dywyll Glandon. Gwasgodd ei wefusau a meiniodd ei lygaid.

* * *

Pan agorodd Mabli ei drws ffrynt, gwelodd ddyn tal, hynod o olygus yn sefyll o'i blaen. Oedd hi i fod i'w adnabod?

'Do, 'dan ni wedi cyfarfod,' meddai o wrthi'n hyf, fel petai'n gallu darllen ei meddwl.

'Allan yn dre dwi 'di dy weld di?' gofynnodd Mabli'n ansicr.

'Na, chawson ni rioed y ffasiwn sbort,' oedd yr ateb sych.

'Wel, dwi'n sâl heddiw, mae'r ffliw arna i, felly dwi ddim awydd siarad efo neb, sori.' Gwnaeth ystum i ddechrau cau'r drws.

'Dim y ffliw sydd arnat ti, Mabli.'

Dywedodd ei henw. Syllodd i fyw ei lygaid. Yn sydyn reit, roedd hi wedi anghofio am ei salwch. Byddai'n anodd anghofio dyn fel hwn, efo'i wallt coch, ei frychni a'i lygaid glas, glas. Sut oedd o'n ei hadnabod hi? Ac yn bwysicach, oedd hi'n ddoeth rhoi gwahoddiad iddo ddod i mewn i'w thŷ?

* * *

Fesul gris, disgynnodd Jac yn nes at y fwltur oedd yn sefyll o flaen y lle tân. Roedd drych y fall ar y chwith iddo o dan orchudd.

'Hir yw pob ymaros.'

'Dwi'n hen, Cadfri,' atgoffodd Jac o. 'Os wyt ti am i mi ddilyn cyfarwyddiadau, mi fydd yn rhaid i ti aros i mi eu cyflawni nhw, boed hynny'n cymryd pum munud, awr neu ddiwrnod cyfan.'

'Eisteddwch, Jac,' mynnodd Cadfri.

'Fy nhŷ i ydi hwn, Cadfri!' atebodd Jac. 'Mi a' i i sefyll at y ffenast.' Petai rhywun yn digwydd pasio, meddyliodd, gallai weiddi nerth esgyrn ei ben arnynt am help.

Mewn ryw ffordd wyrdroëdig, edmygai Cadfri wydnwch Jac. Mae'n rhaid bod yr hen ddyn wedi sylweddoli bellach nad oedd gan Cadfri'r diddordeb lleiaf mewn ennill gradd mewn Astudiaethau Celtaidd, ac wedi sylweddoli hefyd nad myfyriwr cyffredin oedd o. Roedd o'n sicr wedi deall bod rhywbeth annaearol ynglŷn â'r drychau neu fyddai o fyth wedi eu gorchuddio.

Trodd Cadfri i edrych ar y drych godidog, oedd yn barod i gael ei ddadwisgo am y tro olaf. Doedd ond angen i Jac sefyll o'i flaen. Fel yr eglurodd wrtho, roedd o'n enaid gwerth ei ddwyn – yn gryf, hyderus, deallus a phrofiadol. Pobol fel hyn roedd y Drychwll eu hangen yn frecwast, cinio a swper. Petai Jac yn ei aberthu ei hun i'r drych heno, byddai'n arbed bywydau eraill o grafangau'r Drychwll am flynyddoedd.

* * *

'Dwi angen egluro petha i ti,' eglurodd Baltws.

Ildiodd Mabli, ac agorodd y drws er mwyn iddo ddod i mewn. Roedd ei chwilfrydedd newyddiadurol yn ei thynnu ato fel brân at fwncath.

''Sgin ti enw?' gofynnodd iddo.

'Dwyt ti ddim yn ei gofio fo?'

'Ddyliwn i?'

'Baltws 'di f'enw fi – Baltws Cardrona.'

'Waw! Mi gafodd dy deulu di hwyl yn y bedydd efo hwnna, yn do?'

'I fod yn onest, doeddwn i ddim yn disgwyl i ti gofio f'enw fi'n iawn. Dim ond unwaith y gwnest ti ei glywed, ac mi oeddet ti wedi cael clamp o sioc bryd hynny.'

'Be ti'n feddwl "sioc"?' gofynnodd Mabli'n betrusgar.

Gwasgodd Baltws ei wefusau. Faint o wybodaeth ddylai o ei roi iddi, tybed? Roedd angen iddi gofio drosti hi ei hun, ond byddai'n rhaid dechrau yn rhywle.

* * *

'Pam ydan ni'n osgoi'r anochel, Jaci?'

'Pa "anochel", Cadfri?' gwatwarodd Jac, gan barhau i syllu drwy'r ffenestr.

'Eich cael chi i sefyll o flaen y Drychwll, wrth gwrs.'

'Y Drychwll!' wfftiodd Jac. 'Dyna ti'n ei alw fo? Ar ôl yr holl ddrychiolaethau a'r trasiedïau sydd wedi dod i ran yr aelwyd hon o'i achos o, dyna'r enw tila sydd iddo fo?' chwarddodd Jac, gan droi i'w wynebu.

'Wel, be fasach chi'n ei alw fo 'ta, Jaci? Rydach chi'n dda iawn am fathu termau ac enwau i bethau. Chi enwodd y papur bro ddegawdau'n ôl, yntê? *Yr Efaill*? Mi fasa hwnnw'n enw da iawn i'r drychau,' pryfociodd, 'gan fod dau ohonyn nhw.'

'Erthyl,' pryfociodd Jac yn ôl. Surodd wyneb Cadfri.

'Erthyl, Jaci?'

'Mi enwais i o'n *Yr Efaill* achos pwrpas papur bro ydi cadw cof cymdeithas yn fyw drwy adrodd hanesion cyfredol yr ardal. Mae'r papur yn adlewyrchiad o fywyd. Tydi *hwn*,' meddai, gan bwyntio at y drych dan y gynfas, 'yn gwneud dim ond difa'r bobol sy'n dod ar ei draws o. Does ganddo fo ddim gwerth, a dim rhinwedd.'

Roedd tymer Cadfri'n dechrau berwi, ond doedd o ddim am ddangos hynny.

'Dim gwerth? Nag oes, mae'n siŵr ... i rywun o'r byd yma. All neb o'r byd yma ddeall gwerth y Drychwll.'

'Ho ho, dadl wael iawn, Cadfri,' atebodd Jac yn sarrug. 'Pam ar y ddaear wyt ti'n ceisio rhesymu efo fi, felly? Mae'n amlwg nad ydi'r ddau ohonan ni'n rhannu'r un moesau.'

Edrychodd Jac ar wefusau Cadfri'n gwasgu yn erbyn ei gilydd ac ar ei ddyrnau, oedd wedi'u cau'n dynn. Roedd ei ieuenctid yn bradychu ei dymer, ystyriodd. Oedd o'n ennill y dydd yn erbyn y llanc?

'Wel, Jaci,' meddai Cadfri'n ddi-hid, 'does na'm ots bellach beth bynnag, achos rydach chi yma rŵan, yn llawn hyder, yn y cyflwr perffaith i'r drych eich derbyn chi.' Siaradai fel petai'n sôn am rywbeth mor syml â gwneud paned o de.

'Os mai rhywun llawn hyder sydd ei angen ar y drych, pam na sefi di o'i flaen o – y jarff ag wyt ti,' brathodd Jac yn ôl, er ei fod yn gwybod i'r dim nad oedd gan Cadfri unrhyw fwriad o wneud y ffasiwn beth.

'O? Tydw i ddim wedi egluro hyn i chi, naddo?' meddai'n nawddoglyd gan droi tuag at y drych a cherdded i sefyll o'i flaen. 'Drychwch yn ofalus rŵan.' Cododd ei law at dop y drych a thynnu'r blanced oddi arno.

* * *

'Pan ffeindis i chdi nos Wener, roeddat ti mewn sioc. Fedri di feddwl lle oeddat ti, a pham?'

Pendronodd Mabli ond nid oedd ganddi ateb iddo.

'Beth petawn i'n dweud y gair 'drych' wrthat ti?'

Er na wnaeth hi ymateb, roedd yn amlwg i Baltws fod y gair 'drych' wedi cael effaith gref arni.

''Sgin ti go' o weld Seimon y noson honno?'

Dim ateb eto.

Pendronodd Baltws. Oedd o am godi ofn arni er mwyn llacio'i thafod, neu am ddal ati i brocio'i chof?

Dechreuodd Mabli ystyried pam ei bod hi wedi osgoi gwneud ei gwallt a'i cholur y bore hwnnw. Ei hesgus parod oedd ei salwch, ond tybed ai'r gwir oedd ei bod yn osgoi edrych arni hi ei hun mewn drych? Roedd hi'n ymwybodol fod Baltws yn gallu ei darllen fel llyfr, ac roedd y sylweddoliad hwnnw yn ei dychryn.

Cerddodd y dyn dieithr yn hyderus ar draws y stafell fyw a thynnu drych oddi ar y wal. Anniddigodd Mabli, ac wrth i Baltws gario'r gwydr tuag ati, cododd o'i chadair a bagio oddi wrtho.

'Na, paid!' plediodd. 'Plis, paid!'

Arhosodd Baltws yn ei unfan.

'Pam?'

'Dwi'm yn gwybod pam!' gwaeddodd. 'Sbia di ynddo fo gynta!'

'Does na'm pwynt i mi edrych mewn unrhyw ddrych 'sti,' atebodd Baltws.

* * *

Llyncodd Jac ei boer pan ddinoethwyd y drych. Roedd posibilrwydd mawr y byddai ei fywyd yn cael ei erthylu i fyd arall, er mor wallgof y swniai hynny.

'Welwch chi o?' Roedd Cadfri bellach yn sefyll o flaen y drych mawr.

'Gweld be, Cadfri?'

'Yn union!' meddai hwnnw'n llawn coegni. 'Dim byd. Dim adlewyrchiad.' A dechreuodd ddawnsio o flaen y drych er mwyn pwysleisio'r gwacter yn y gwydr. 'Dewch at y drych, Jac ... mi fyddwch chi'n enwog ar yr ochr arall, yn seléb, yn cael eich parchu gan bawb,' gwenieithodd.

'A be ti'n feddwl ydw i yma yng Nghymru, y llo?' Chwarddodd Jac yn sbeitlyd am ei ben.

'Wel, dyna ydach chi rŵan … am y tro…' prociodd Cadfri gan aros i Jac lyncu'r abwyd.

'Dwi wedi bod ar lwyfan Hanes Cymru am ddegawdau, Cadfri bach, mae'n bryd i rywun gymryd fy lle fi yn yr adran. Mi fydda i'n ymddeol mewn rhyw bum mlynedd – dyna oedd gen i mewn golwg ar dy gyfer di cyn i mi ddysgu mwy amdanat ti, y cena' bach twyllodrus.'

'Ond dwi'n siŵr y basa'n well ganddoch chi gael eich cofio fel hanesydd enwog, seléb diwylliedig, uchel ei barch, yn hytrach nag un a syrthiodd i'r gwter.'

Edrychodd Jac mewn penbleth ar Cadfri, oedd wrthi'n tynnu papur wedi'i blygu allan o'i boced. Agorodd ef yn ddramatig a'i roi i Jac.

Wrth i Cadfri edrych ar lygaid Jac yn dilyn y print ar draws y dudalen, sylwodd ar ei wedd yn gwelwi.

'Enllib ydi peth fel hyn. Enllib llwyr!' ebychodd yr hen ddyn. 'Pa fantais sydd yn hwn i ti? Mae'r peth yn ffars! Heb sôn am dynnu gwarth ar gof Janice, druan!'

'Wel,' meddai Cadfri, gan blethu ei ddwylo, 'honna ydi'r stori rois i at ei gilydd ar gyfer golygydd y *Gazette* ddoe. Os byddwch chi'n dal i gerdded o gwmpas y strydoedd 'ma fory, dwi wedi rhoi cyfarwyddyd iddyn nhw ei phrintio hi. Os nad oes golwg ohonach chi, mi fyddan nhw'n ei rhoi yn y bin.' Gwenodd.

'Does 'na ddim yn eu hatal nhw rhag ei phrintio hi os ydw i yma neu beidio!' gwylltiodd Jac. Roedd hyn yn glyfar iawn. Meddyliodd am y sgandal fyddai'n pardduo'i enw. Hyd yn oed petai'n medru gwrthbrofi'r holl gyhuddiadau celwyddog, byddai'r hedyn wedi'i blannu ym meddwl pawb, a buan iawn y byddai pobol yn barod i gredu nad oedd mwg heb dân.

Doedd gan Jac ddim ffordd yn y byd o brofi a oedd Cadfri wedi mynd â'r stori i'r papur ai peidio, ond roedd yn hollol bosib, yr adyn bach dichellgar iddo fo. Ai fel hyn roedd o, Jac Percy, am gael ei gofio ar ôl yr holl waith a'i gyfraniad i'w genedl? Ai dyma'i gosb am fod â chymaint o feddwl ohono'i hun dros y blynyddoedd – cael ei ddwyn gan ddrych? Neu ai dyma'i haeddiant am adael i'r sgrwb bach, pengoch ei dwyllo mor hawdd?

Edrychodd ar deitl yr erthygl.

'*Protégé Percy'n Datgelu eu Perthynas*'.

* * *

'Dim pwynt i ti edrych mewn drych? Be mae hynna i fod i feddwl?'

'Taswn i'n dangos fy hun mewn drych i ti, mi fasat ti'n dychryn am dy fywyd.'

Wyddai Mabli ddim beth i'w ddweud.

'Pam fod arnat ti ofn y drych 'ma?' prociodd Baltws drachefn.

Lledodd llygaid Mabli. 'Ma' gin i ofn sbio yn y drych ... achos ... ma' gin i ofn gweld fy hun ynddo fo.'

'Ydy hynny achos bod golwg y diawl arnat ti?'

Teimlodd Mabli ei hun yn dechrau chwerthin. Oedd, mae'n siŵr bod golwg y diawl arni erbyn hyn.

'Na, mae o'n fwy na hynna,' meddai, gan ddifrifoli. 'Ma' gin i ofn 'mod i'n mynd i ddychryn.'

'Ofn dychryn,' ailadroddodd Baltws.

'Dwi'n gwbod 'i fod o'n swnio'n stiwpid,' meddai'n amddiffynnol.

'Nac'di – dyna'r peth. Tydi hynna ddim yn swnio'n stiwpid o gwbwl.'

* * *

Camodd Jac ymlaen tuag at y drych a rhoi ei law yn ei boced er mwyn sicrhau bod ei arf cudd yno'n saff.

"Sgin ti'm adlewyrchiad, medda chdi?'

'Nag oes, dim sosej!' gwawdiodd Cadfri.

'A dyna pam na fedri di gael dy feddiannu gan y drych?'

'Yn union!' Roedd Cadfri wrth ei fodd.

Yna, â'i galon yn mynd fel buddai gorddi, camodd Jac o flaen y drych gan weld ei adlewyrchiad yn glir o'i flaen. Roedd y drwg wedi'i wneud.

Gwenodd Cadfri. Byddai'r Drychwll yn ei wobrwyo'n hael am hyn. Yna, sylwodd fod Jac yn chwarae efo'i goler, ac yn astudio'i ên yn y drych fel petai'n mesur ei dagell.

'Hm,' meddai, gan sythu ei het. 'Wyt ti'n meddwl fod y drych 'ma'n gwneud i mi edrach yn dew, Cadfri?'

'O, ho ho! Does 'na ddim pwynt bod yn hy' rŵan, Jaci, nag oes wir! Dyna ni – nid eich adlewyrchiad chi ydi hwnna, ond endid wedi'i batrymu arnoch chi ... rwbath sy'n barod i'ch bwyta chi'n fyw. Waeth i chi heb! Waeth i chi heb!' gwaeddodd.

'Wel,' meddai Jac, gan roi ei law yn ei boced, 'mae gan dy ddarn bach di o bapur rym affwysol yn f'erbyn i. Tybed faint o ddylanwad sydd gan fy mhapur i drostat ti?'

Rhewodd gwên Cadfri wrth i Jac agor y darn papur a'i ddal o flaen y drych. Sylweddolodd ar beth roedd o'n edrych.

'Ti'n gweld, Cadfri, rwyt ti wedi pregethu heno am ddiffyg gonestrwydd, a sut na ddyliwn i fod yn hy', ac yn y blaen ac yn y blaen – ac yn hynny o beth, rwyt ti wedi bod yn rhagrithiol tu hwnt. Yn ddigon rhagrithiol i f'atgoffa o'r ffordd y gwnest ti glosio ata i, ffugio diddordeb yn y cwrs, fy swyno efo dy waith a denu fy sylw. A'r cwbwl er mwyn dod yn agos at y diawl peth yma,' ychwanegodd, gan bwyntio at y drych. 'Mi chwaraeaist ti dy ran mor wych ... mi est ti ar goll yn dy rôl, braidd, a chael tynnu dy lun ar gyfer tudalen flaen *Yr Efaill* er mwyn dathlu dy lwyddiant yn y coleg.'

Gwyddai Jac yn iawn fod yr ergyd wedi taro Cadfri a'i ysgwyd i'w seiliau, felly parhaodd i siarad. Roedd o'n mwynhau hyn. 'Ti'n dweud nad oes gen ti adlewyrchiad pan ti'n sefyll o flaen y drych 'ma, ac mai dyma sy'n dy gadw di'n saff o'i afael o? Wel, dyma fi yn gafael mewn llun ohonat ti o flaen drych, ac mi fedra i weld adlewyrchiad ohonat ti'n berffaith glir ynddo fo.'

* * *

Wedi gwrando am hir ar Mabli yn ceisio adrodd cymaint ag y gallai o'r hyn a gofiai, penderfynodd Baltws lenwi'r bylchau.

'Drychwll ydi'r enw ar y byd arall i mewn yn y drych. Mae o'n dwyn eneidiau pobol. Ac mi wyt ti wedi bod i mewn yn y tŷ teras 'na, 6 Trem yr Ywen, yn sefyll o'i flaen o – ro'n i yno efo chdi.' Edrychodd Mabli arno'n amheus. 'Ti'n gweld, Mabli, pan wyt ti, fi a'r Drychwll efo'n gilydd, mae 'na rywbeth yn drysu dy ymennydd di, ac mi wyt ti'n llewygu. Nid llewygu am chydig bach fel rhywun sy'n teimlo'n sâl dwi'n feddwl, ond anymwybodol go iawn. Wedyn, pan fyddi di'n dod atat dy hun, does gen ti ddim cof ohona i, nac i ti fod yn y tŷ chwaith. Ar ben hynny, wnei di 'mo 'nghofio fi tan y gweli di fi'r tro nesa. Ar ôl i mi fynd o 'ma heddiw, mi fyddi di wedi anghofio'n llwyr am fy modolaeth i.'

Syllodd Mabli arno'n wirion. Roedd o'n siarad rwtsh. Llewygu yn ei bresenoldeb o a mynd yn sâl, wir! Ond eto, roedd Baltws fel petai o wedi darllen ei meddwl.

'Wyt ti wedi cael y teimlad nad wyt ti'n cofio dyddiau cyfan?'

'Un o symptomau'r ffliw,' oedd ateb swta Mabli.

'Wyt ti'n anghofio be wnest ti cyn mynd yn sâl? Wyt ti wedi gweld nad ydi petha fel y gwnest ti eu gadael nhw?'

'Y?'

'Er enghraifft, wyt ti wedi sylwi fod pethau wedi symud ...

wyt ti'n dod ar draws pethau nad oeddat ti'n disgwyl dod o hyd iddyn nhw?'

Edrychodd Mabli ar y dderbynneb oedd o'i blaen ar y bwrdd coffi. Sylwodd Baltws ar hynny a chodi'r darn papur: derbynneb am ddau ddrych yn enw Jac Percy.

'Ti'n dechrau fy nghredu i?' gofynnodd, gan chwifio'r dderbynneb o'i blaen. 'Ti wedi ffeindio hwn yn rwla, yn do – a chan mai enw Jac Percy sydd arno fo, dim ond un eglurhad sydd, sef dy fod di wedi dod â fo o 6 Trem yr Ywen.'

'Sgin i'm rheswm i beidio dy gredu di,' atebodd Mabli'n ofalus, er bod ofn yn cydio ynddi. Sut yn y byd roedd hi wedi anghofio ymweld â'r tŷ?

'Ocê,' meddai'n araf, 'pam fod dy bresenoldeb *di* wrth ymyl y drych yn cael y fath effaith arna i?'

Tybiodd Baltws y byddai egluro nad oedd yn dod o'r un blaned â hi yn ormod iddi ar hyn o bryd.

'Ym … dwi ddim 'run fath â phawb arall … a dwyt titha ddim, chwaith.'

'Reit, deud 'mod i'n dy goelio di am funud bach,' meddai Mabli yn ofalus, ''dan ni'n sôn am ddrych yn fan hyn. *Drych!*' pwysleisiodd. 'Sut all rwbath mor ddiniwed â drych, rwbath y mae pawb yn edrych iddo bob dydd, fod mor ddychrynllyd?'

Gwyddai Baltws y byddai'n rhaid iddo ddangos iddi. Cododd y drych a'i ddal wrth ymyl ei ben. Llewygodd Mabli.

* * *

Safai Cadfri o flaen Jac yn ysgwyd fel petai'n cael ffit. Byddai wedi rhedeg allan o'r tŷ, ond roedd ei draed fel petaent wedi'u hoelio i'r llawr.

'Fedrwch chi'm …'

'O, medraf,' meddai Jac, 'mi fedra i'n iawn.'

Estynnodd Jac am y gynfas a'i gosod yn ôl dros y dodrefnyn.

'Dwi'n meddwl y gadawn ni hwnna fel'na, ia?' meddai â thinc coeglyd yn ei lais.

'Mi geith y Drychwll chi ryw ddiwrnod, Jac Percy, credwch chi fi!' rhybuddiodd Cadfri, heb ei hyder arferol. Ochrgamodd i gyfeiriad y gegin gefn a sleifio drwy'r drws cefn. 'Mi ceith o chi! Mi ceith o chi!'

Clôdd Jac y drws ar ei ôl, a dim ond ar ôl gwneud hynny y dechreuodd yntau grynu drwyddo.

'Gwynt teg ar d'ôl di'r cythraul!'

Y cam nesaf fyddai trwsio'r ddau gas pren am y drychau, gan fod Cadfri wedi eu torri â bwyell, ond nid heno, meddyliodd. Roedd o wedi ymlâdd. A dweud y gwir, teimlai'n reit benysgafn.

Gwasgodd Jac ei lygaid ynghau mewn ymgais i fedru gweld yn well, ond gwaethygodd ei bendro. Cymerodd gam bychan yn ei ôl er mwyn ceisio sadio'i hun, ond sylweddolodd na allai ei goesau ei ddal. Teimlodd ei hun yn syrthio am yn ôl a doedd dim amdani ond estyn ei freichiau allan i geisio torri'i gwymp. Wrth iddo ddisgyn, tarodd ei law yn erbyn y gynfas a dadorchuddiwyd y drych drachefn. Gadawyd Jac yno'n ddiymadferth ar lawr o flaen y Drychwll a'r blanced drosto fel corff yn y marwdy. Ni chafodd groesawu'r mileniwm newydd.

* * *

Pan ddeffrodd Mabli roedd llaw yn chwifio darn o bapur o flaen ei hwyneb.

'Ti newydd ... ti newydd ...' Ni allai orffen y frawddeg gan fod grym yr ofn a chwalodd drosti'n rhy gryf.

'Ydw,' atebodd Baltws, 'dwi newydd ddangos i ti nad oes gen i adlewyrchiad.'

Eisteddodd Mabli ymlaen yn ei chadair a rhoi ei phen yn ei dwylo.

'Shit, shit, shit, shit, shit, shit, shit!' meddai, gan nad oedd ganddi unrhyw eiriau eraill i ddisgrifio'r hyn roedd hi'n rhan ohono.

'Plis dallta,' ymbiliodd arni, 'dwyt ti ddim mewn peryg efo fi – dwi yma i edrych ar d'ôl di, a gwneud yn siŵr na ddaw unrhyw ddrwg i dy ran di o achos y drych 'na.'

Nodiodd Mabli. Er ei fod newydd ei chyfarfod, roedd hi'n ymddiried ynddo.

'Rŵan 'ta,' meddai Baltws. 'Yn ôl at y dderbynneb 'ma.' Gafaelodd yn y dderbynneb a'i hastudio'n iawn. 'Mi ffeindist ti hi yn dy boced?'

Nodiodd Mabli.

'Deud chydig wrtha i amdanat ti dy hun. Wyt ti'n gweithio?' Gwyddai Baltws y byddai Mabli'n dod ati ei hun yn gynt wrth droi ei meddwl at bethau bob dydd.

'Ydw.'

Dysgodd Baltws yn fuan fod iddi natur chwilfrydig a bod posibilrwydd cryf y gallai fynd yn ôl i'r tŷ i fusnesa, unwaith y byddai hi wedi anghofio am y sgwrs hon.

'Addo i mi nad ei di'n ôl i mewn yna.'

'Dwi'm isio mynd yn agos at y lle byth eto,' meddai Mabli'n bendant.

'Yli,' meddai Baltws yn ysgafn wrth iddo hwylio i fynd, 'wyt ti'n cofio dod ar draws unrhyw ddrychau eraill yn y tŷ 'na, heblaw am y rhai mawr?'

Ceisiodd Mabli gofio. 'Nac'dw – dwi prin yn cofio bod yno o gwbwl. Mae o fel trio cofio breuddwyd.'

'Wel, paid â gadael hon o gwmpas y lle, rhag ofn i rywun ei gweld hi,' meddai Baltws, gan amneidio i gyfeiriad y dderbynneb. Rhoddodd y drych yn ôl ar y wal.

'A phaid â phoeni am edrych arnat ti dy hun mewn unrhyw ddrych arall – dim ond y rhai yn 6 Trem yr Ywen sy'n beryg.' Nodiodd Mabli. 'A gwna bopeth fedri di er mwyn dod atat dy hun. Mae angen i ti gael dy hyder a dy nerth yn ôl – paid â gadael i'r drychau 'na gael y gorau arnat ti.'

Nodiodd Mabli. Doedd ganddi ddim bwriad o fynd yn agos at y lle byth eto.

* * *

Nos Wener, Hydref 16

Taflai lampau stryd eu goleuni drwy'r niwl nes bod gwawr oren yn gorchuddio'r chwe thŷ teras. Stryd unig oedd hon ar y gorau – doedd dim bywyd i'w glywed; dim ceir i dorri ar dawelwch y noson, dim cŵn yn cyfarth, dim pobol yn mynd nac yn dod.

Ond o'r pellter daeth golau car; wedyn, ymhen eiliadau, sŵn ei injan. Cryfhaodd y golau a'r sŵn gan oleuo talcen rhif 1, a llifodd y golau drwy ffenestri'r rhes gyfan. Arafodd y Citroen C2 glas golau wrth gyrraedd rhif 6 ar ben arall y rhes, a stopio yn yr encil parcio gerllaw. Pan stopiodd yr injan, peidiodd bît bywiog 'Lipstig Coch' gan Adwaith â chwalu'r distawrwydd.

Agorwyd drws y car bach sgleiniog ac ohono daeth sawdl uchel esgid ddu a gwyn i sodro'i hun ar y tarmac. Yna, daeth yr esgid arall nes bod pâr o fferau perffaith i'w gweld rhwng yr esgidiau a godre trowsus tri-chwarter tywyll. Safodd y coesau'n syth, yna, wedi i ddrws y car gau'n glep, pwysleisiwyd pob cam gan glip-clopiau hyderus y ddynes ifanc bedair ar hugain oed.

Stopiodd Mabli o flaen rhif 6 gan daflu ei phwysau ar ei choes chwith fel model. Roedd ei dwylo ym mhocedi ei throwsus, a'i *trenchcoat* frown golau yn agored. Am ei phen roedd sgarff wedi'i glymu i efelychu steil ei nain mewn llun o'r 1950au, ac o'i gwmpas roedd modrwyau golau sgleiniog ei gwallt wedi'u clymu'n flêr.

Doedd y niwl ddim yn poeni Mabli. I'r gwrthwyneb – roedd hi'n ddiolchgar fod y tywydd di-ddim yn cadw pawb yn eu tai, a'r tywyllwch yn cuddio'r hyn roedd hi ar fin ei wneud.

Edrychodd faint o wefr oedd ym matri ei ffôn, gan y byddai angen defnyddio golau tortsh y teclyn. Da iawn – roedd yn llawn, a'r signal yn gryf.

Trodd i edrych ar y goeden hynafol a roddodd ei enw i'r rhesaid tai. Edrychai'n hynod o fygythiol yn y tywyllwch fel hyn, gan nad oedd modd gweld ei boncyff yn glir. Gallai unrhyw un fod yn llechu yno, yn barod i neidio arni. Hon oedd yn gyfrifol am ymweliad Mabli â'r tŷ ... yn anuniongyrchol, o leiaf. Rhedodd ei llygaid o'r brigau uchaf i lawr at ei boncyff. Tybed pa mor bell roedd ei gwreiddiau wedi tyfu, dyfalodd, cyn troi at y tai teras.

Doedd neb wedi byw yn rhif 6 ers bron i ugain mlynedd. Gwelodd fod llwybr yn arwain heibio ochr y tŷ i'r cefn, a gâi ei oleuo rywfaint gan olau'r lamp agosaf. Sylwodd hefyd nad oedd golau ymlaen yn yr un o'r tai eraill yn y stryd. Perffaith. Heb oedi ymhellach, agorodd y giât rydlyd a cherddodd yn ofalus drwy'r chwyn i lawr y llwybr, gan roi tortsh ei ffôn ymlaen wrth i olau'r stryd gilio.

Roedd cegin y tŷ wedi ei chodi mewn estyniad deulawr yn y cefn. Cyn meddwl sut roedd am dorri i mewn, cymerodd gipolwg ar sgrin ei ffôn. Dim neges, ond roedd y signal yn dal i fod yn gryf, o leiaf.

Wrth iddi astudio ffenestr y gegin gwelodd bydredd amlwg yn y ffrâm ac estynnodd i fyny i weld a fyddai'n agor. Oedd, roedd symudiad ynddi. Gafaelodd mewn hen raw bydredig oedd ar lawr gerllaw, a defnyddiodd honno i agor y ffenestr ddigon iddi fedru stwffio'i chorff bychan drwyddi.

Glaniodd ei dwylo ar deils budur sil y ffenestr i ddechrau, yna metel y sinc. Penliniodd ar y metel a gosod ei throed chwith ar lawr y gegin. Yna'i throed dde. Ymsythodd, a chwerthin yn ysgafn wrth ystyried beth roedd hi newydd ei wneud.

Penderfynodd ddechrau chwilota yn yr ystafell fyw. O'r

diwedd, roedd hi'n sefyll yn nhŷ'r dyn y bu'n busnesa yn ei fywyd ers dyddiau. Ffliwc llwyr oedd i Arwyn roi'r gwaith iddi hi o ymchwilio i hanes yr hen ywen yng ngoleuni'r cais dadleuol i'w thorri i lawr, a dim ond ar hap a damwain y daeth Jac Percy i'w sylw. Ond bellach, roedd ei waith ymchwil ar goed hynafol – ac yn bwysicach byth, ei ddiflaniad annisgwyl – wedi llenwi ei bywyd.

Yn y seremoni i'w goffáu yn y coleg yr oedd y sbarc wedi tanio go iawn, cofiodd. Cafodd ei gyrru yno i'r prynhawn o areithiau, caws a gwin a oedd wedi'i drefnu i ddathlu deng mlynedd ar hugain ers agor y Ganolfan Archaeoleg ac Astudiaethau Celtaidd, a dyna pryd y clywodd hi bennaeth y ganolfan yn trafod Jac Percy efo aelod arall o'r staff. Roedd hi wedi gofyn yn blwmp ac yn blaen iddo beth yn union ddigwyddodd, a chafodd wybodaeth oedd yn llawer mwy diddorol na chais cynllunio.

Deffrodd o'i hatgof. Safai ar ganol llawr yr ystafell ganol. Doedd hwn ddim yn dŷ teras bach – roedd digon o le yma, ffenestr yn edrych allan i'r ardd gefn a lluniau wedi'u fframio yma ac acw ar y waliau. Sylwodd fod papurau yn y grât, rhai wedi hanner eu llosgi, a chamodd yn nes er mwyn eu gweld. Yng ngoleuni'r dortsh gallai ddarllen y print ar un ohonynt – derbynneb am rywbeth oedd hi, ac estynnodd fag plastig o'i phoced fel petai'n dditectif yn hel tystiolaeth a rhoi'r darn papur ynddo. Cyn troi oddi wrth y grât anelodd olau'r ffôn i fyny'r corn. Ymbalfalodd gyda'i llaw rydd am unrhyw beth a allai fod wedi cael ei guddio yno, a disgynnodd cawod fechan o huddygl am ei braich.

'Damia!' meddai, gan edrych ar lawes ei chôt. Bil arall am gael ei glanhau. Ond anghofiodd am hynny pan deimlodd ei llaw yn taro ar rywbeth oer, caled. Ceisiodd gau ei bysedd amdano, ond neidiodd pan ddaeth pelydr llachar o olau i mewn drwy'r ffenestr gefn. Cymerodd ei gwynt yn sydyn a dal ei braich o flaen ei llygaid i'w cysgodi. Roedd rhywun wedi ei dal.

Arhosodd yn ei chwrcwd am ychydig eiliadau gan ddisgwyl clywed llais cyfarwydd un o blismyn yr ardal.

'Mae 'na bris i'w dalu am dorri i mewn i dai, Mabli Fychan! Dyna pam ti'n cuddio dy wyneb?'

Ymlaciodd Mabli a gostwng ei braich, gan adael i'r golau ei dallu.

'Gest ti'r neges Whatsapp felly?' meddai wrth y dyn a safai y tu allan i'r ffenestr. 'Do'n i ddim yn siŵr fasat ti'n dod.'

'Dwi byth yn gwrthod gwahoddiad gan Mabli Fychan.' Gallai glywed fod Seimon yn gwenu wrth siarad, a gwenodd hithau.

'Stopia fflyrtio a ty'd i mewn,' gorchmynnodd.

Cafodd Seimon dipyn mwy o drafferth na Mabli i stwffio drwy agoriad bychan y ffenestr, a bachodd ei gôt yn y ffrâm wrth wneud.

'Diolch am yr help llaw,' meddai Seimon yn goeglyd ar ôl iddo roi ei ddwy droed ar lawr y gegin a sychu baw dychmygol oddi ar ei gôt hir, ddu.

'Doedd neb yma i roi help llaw i *mi*,' meddai hithau'n ôl.

'Wel, be ti 'di ffeindio ta? Be mae'r hen Bercy wedi ei adael i ni?'

'*Hold on* am funud – llai o'r "ni" 'ma. Fy stori *fi* ydi hon, Mr Gwyn, nid d'un di. Fi sy'n arwain yn fama a neb arall,' meddai Mabli'n hunanfeddiannol, a throdd ei chefn ato er mwyn cerdded yn ôl i'r ystafell ganol. Estynnodd ei llaw yn ôl i fyny'r simdde tra oedd Seimon yn taro golwg dros yr ystafell.

'A! Dyma ni,' meddai o'r diwedd. Am rai eiliadau safodd y ddau yn fud gan edrych ar yr hyn oedd gan Mabli yn ei llaw, ac anelodd Seimon olau ei dortsh i'w gyfeiriad: blwch pren, crwn, tua throedfedd ar draws a thrwch iddo o thua pedair modfedd. Roedd o wedi ei gloi â braced fetel o ryw fath a chafodd Mabli beth trafferth i'w agor. Roedd Seimon ar fin cynnig ei helpu pan ollyngodd y fraced ei gafael.

Edrychodd y ddau ar ei gilydd, er na allai'r naill weld wyneb y llall. Yn ofalus, rhag ofn iddo dorri, gwahanodd Mabli ddau hanner y cas, a phan agorwyd o led y pen, tasgwyd adlewyrchiad golau ffôn Seimon ohono nes goleuo'r stafell. Drych dwbl oedd o.

'Pff!' meddai Seimon yn ddi-hid. 'Ar ôl hynna i gyd! Ro'n i'n gobeithio y basa 'na rywfaint o sgandal wedi'i guddio ynddo fo – syrinjis neu lunia anffodus o fyfyrwyr ifanc neu rwbath y gallen ni ... sori, *chdi* ... sgwennu amdano.'

Teimlodd Mabli rywfaint o'r un siom â Seimon, nes iddi ddechrau cwestiynu'r darganfyddiad. Beth oedd drych deublyg fel hwn yn ei wneud ynghudd mewn simdde? Ai Jac Percy a'i rhoddodd yno? Os felly, pam ei fod wedi teimlo rheidrwydd i'w guddio yno? Dyna'r gwahaniaeth rhwng Mabli a Seimon. Roedd hi'n llawn chwilfrydedd ac yn barod i chwilota am wybodaeth, tra oedd Seimon eisiau popeth ar blât, gan golli amynedd petai'n rhaid iddo fynd dan groen unrhyw stori.

Penderfynodd fynd â'r drych adref efo hi, er mwyn iddi gael ei astudio'n fanylach. Efallai fod rhywbeth yn llechu y tu ôl i wydrau'r ddau drych, pwy a ŵyr. Edrychodd ar ei hadlewyrchiad ynddo cyn ei gau er mwyn sicrhau nad oedd antur y noson wedi amharu ar steil ei gwallt, ac wrth iddi edmygu ei hun, cododd Seimon ei fraich i osod un gyrlen strae y tu ôl i'w chlust. Rhoddodd Mabli'r blwch i lawr.

'Ti'n edrych yn mega lysh,' meddai wrthi.

Petai Seimon yn gwybod pa mor bathetig roedd geiriau o'r fath yn swnio o enau dyn chwech ar hugain oed, ddywedai o fyth mohonyn nhw, meddyliodd Mabli, ond pan blygodd ymlaen i roi cusan iddi wnaeth hi ddim tynnu'n ôl. Bob tro y cusanai Seimon hi byddai crombil Mabli yn troi ac ni allai wneud dim ond ildio iddo. Cyffyrddodd eu gwefusau, yna'u tafodau. Roedd y syniad o dreulio amser prin, nwydus mewn tŷ nad oedd i fod ynddo yn cynhyrfu Mabli'n wirion. Pwysodd ei chorff yn ei erbyn, a thynnodd yntau hi ar ei ben gan ddefnyddio'i gôt hir ddu fel planced oddi tanynt. Gosododd Mabli ei dau ben-glin un bob ochr i'w gluniau a'i gusanu fel petai am wneud swper ohono, a gwasgodd Seimon foch ei phen-ôl ag un llaw tra oedd y llall yn ymbalfalu am ei bron dde.

Yna, tynnodd y ddau oddi wrth ei gilydd.

'Ych a fi!' ebychodd Mabli. 'Be 'di'r ogla 'na?'

'Blydi hel! Oes 'na rywun wedi marw yma?' gofynnodd Seimon yntau, bron â chyfogi. O nunlle, roedd cwmwl o arogl amonia a thamprwydd wedi cau o'u cwmpas, ond cyn i Mabli eilio'r hyn oedd ar feddwl Seimon, diflannodd yr arogl. Cododd Mabli ar ei thraed gan aros yn betrusgar i'r arogl eu taro eto, ond ddaeth o ddim.

'Dyna ryfedd ...' dechreuodd Mabli, ond fe'i stopiwyd gan sŵn suo pryfed yn dod o'r stafell nesaf. Dyna pryd y sylweddolodd Mabli nad oedd wedi bod yn yr ystafell ffrynt o gwbwl nac i fyny'r grisiau, a diawliodd ei hun yn dawel fach am iddi adael i Seimon newid cwrs y noson mor hawdd ag y gwnaeth.

'Llygoden fawr wedi marw, debyg, a drafft y ffenestr yn cario'r ogla drwy'r tŷ,' cynigiodd Seimon, a bodlonodd y ddau ar yr eglurhad hwnnw. Cododd yntau ar ei draed, ond penderfynodd adael y gôt ar y llawr, yn y gobaith y byddent ei hangen eto. Teimlai reidrwydd i arwain y ffordd i'r ystafell ffrynt er mwyn dangos nad oedd arno ofn, a goleuodd dortsh ei ffôn cyn camu at y ffenestr i agor y cyrtens. Fflachiodd Mabli olau ei ffôn dros y waliau a'r dodrefn, oedd wedi'u gorchuddio â chynfasau gwyn fel ysbrydion. Gallai weld soffa ger y ffenestr, cadair yng nghanol y llawr, lamp uchel ym mhen draw'r stafell, a rhywbeth mawr, uchel yn y gornel arall.

Yn sydyn, tarodd yr arogl nhw eto.

'Ych!' meddai'r ddau ag un llais gan roi eu llewys dros eu cegau. Ond cyn gyflymed ag y cyrhaeddodd yr arogl, diflannodd drachefn. Ochneidiodd Seimon. Nid noson fel hon roedd o wedi gobeithio'i chael. Synhwyrodd Mabli ei annifyrrwch, felly penderfynodd dynnu ei sylw.

'Sgwn i be ydi hwnna yn y gornel yn fan'cw?' heriodd yn chwareus.

'Dwn i'm. Cwpwrdd cornel neu rwbath ma' siŵr,' oedd ei ymateb swta.

'Dwi'n deud mai drych ydi o,' meddai Mabli.

Hi ddylai wybod, meddyliodd Seimon, mae hi'n sbio digon arnyn nhw. Aeth i sefyll ger y ffenestr.

Cerddodd Mabli heibio i'r ddresel fawr at y gornel a thynnu'r gynfas oddi ar y dodrefnyn gan ddadlennu drych mawr urddasol. Ymddangosai'r ystafell yn llawer mwy wedi'r dinoethi, ac edrychodd y ddau ar eu hadlewyrchiad yn y gwydr.

'Fi oedd yn iawn!' broliodd Mabli'n blentynnaidd, gan dynnu tafod ar adlewyrchiad Seimon. Gwelodd Seimon yn tynnu tafod yn ôl arni yn y drych, a diolchodd nad oedd o wedi gwylltio gormod am sut y datblygodd y noson. Trodd ei phen i'w wynebu'n iawn, ond yn hytrach na'i fod yn sefyll wrth y ffenestr lle y disgwyliai Mabli iddo fod, safai Seimon yng ngwaelod y grisiau, yn edrych i fyny. Rhewodd Mabli cyn cymryd cam yn ôl oddi wrth y drych a thaflu'r gynfas wen ar y llawr fel petai haint arni. Brysiodd at waelod y grisiau at Seimon, ac amneidio arno i fynd i fyny.

Pan gyrhaeddodd y ddau y landin, agorodd Seimon y drws cyntaf ar y chwith a thaflu golau i mewn iddi. Hon oedd yr ystafell ymolchi. Ystafell dywyll fechan oedd y drws nesaf i'r lle molchi, gyda rhesaid o luniau du a gwyn yn hongian ar linyn yn ei chanol. Cyn i Seimon gael cyfle i gamu i mewn daeth hyrddiad arall o'r arogl dychrynllyd yn gwmwl o'u cwmpas, y tro hwn yn gymysg â sawr hen gemegion.

Doedd Seimon ddim awydd mentro ymhellach, ond stwffiodd Mabli heibio iddo at y drws pellaf o'r ddau oedd yn dal ynghau ar y landin, a'i agor led y pen.

Mygwyd hi'n syth gan arogl rhwd a baw llygod yn gymysg â sawr tomen o hen ddillad wedi'u boddi mewn *mothballs* ugain mlwydd oed. Cododd goler ei chôt dros ei hwyneb rhag iddi gyfogi, a gwnaeth Seimon yr un modd pan ddaeth yno ar ei hôl. Doedd dim llawer o ddodrefn yn yr ystafell, dim ond hen wely wedi sigo a chwpwrdd dillad llawn tyllau pryfed. O'u blaenau roedd dodrefnyn arall wedi'i orchuddio â chynfas wen.

'O! Mae'r lle 'ma'n blydi afiach!' cwynodd Mabli gan sylwi fod y sŵn rhyfedd, fel pryfed yn suo, i'w glywed yno hefyd. Trodd i weld o ble deuai'r sŵn, ond collodd ei chydbwysedd wrth i'w sawdl fynd yn sownd rhwng distiau'r llawr, ac wrth iddi ddisgyn yn erbyn y wal aeth ei phenelin drwy'r plastr. Cododd cwmwl o lwch am ei phen. Tagodd a cheisio chwifio'r llwch oddi ar ei hwyneb a'i gwallt, a tharo yn erbyn Seimon wrth wneud hynny. Camodd yntau ymhellach i mewn i'r ystafell er mwyn ei hosgoi ond llithrodd, gan dynnu'r gynfas a orchuddiai'r dodrefnyn am ei ben nes ei fod ar ei liniau, yn edrych fel ysbryd ar gartŵn *Scooby Doo*.

'Shit! Dwi'n sownd,' cwynodd, a chwarddodd Mabli wrth dynnu'r gynfas oddi arno. Roedd ar fin codi ar ei draed pan sylwodd fod Mabli yn syllu heibio iddo.

'Be?' gofynnodd o'r diwedd.

'Sbia!'

Trodd Seimon ei ben yn araf er mwyn gweld beth oedd y tu ôl iddo. Yn y golau gwan, gwelodd fod dau berson yno, yn syllu arnynt.

'Shit!' Camodd yn ei ôl yn drwsgwl mewn ofn, ond chwarddodd Mabli am ei ben. Roedd y lle yn amlwg wedi ei roi ar binnau.

'Drych arall ydi o, y lembo gwirion! Drycha!'

Trodd Seimon i edrych a gollwng ochenaid fawr o ryddhad. Doedd o ddim mor atyniadol ar ôl colli'i hunanfeddiant, sylwodd Mabli, a phenderfynodd ei gysuro. Camodd tuag ato a phinsio'i ben-ôl.

'Paid â phoeni, dwyt ti'm hannar mor hyll â ti'n feddwl! C'mon, dynnwn ni selffi bach i gofio am y noson.' Cododd ei ffôn a thynnu'r hunlun gan wneud ati i edrych yn ffug-bryderus.

Doedd Seimon yn amlwg ddim yn barod am y fflach, meddyliodd wrth edrych ar y llun, ac roedd golwg arni hithau – ei gwallt ym mhobman ac yn llwch i gyd, a streipiau du o huddygl dros ei boch. Rhoddodd y ffôn yn ôl ei phoced. Fyddai llun fel hwn byth yn ffeindio'i ffordd ar Instagram.

Penderfynodd Mabli ei bod wedi gweld digon. Gresyn na ddaethai o hyd i unrhyw ddogfennau yn perthyn i Jac Percy, ond yn mêr ei hesgyrn gwyddai mai bach iawn oedd y siawns o ddod ar draws unrhyw beth o werth yn y tŷ. Gallai ddychwelyd yno rywbryd eto pan fyddai'n olau dydd, ond iddi gofio dod â masg llwch efo hi.

'Tyrd!' gorchmynnodd, gan droi am y landin. 'Wyt ti am roi'r blanced 'na'n ôl dros y drych?'

'Na, mi adawn ni hwnna fel'na, ia?' atebodd Seimon, gan synnu Mabli â'r tinc awdurdodol, coeglyd yn ei lais. Cyn iddo droi i ddilyn Mabli i dop y grisiau, gwelodd olau yn fflachio y tu allan i'r tŷ, ac aeth at y ffenestr i edrych. 'Welaist ti hwnna rŵan?' gwaeddodd.

'Be?' galwodd hithau, ar ei ffordd i lawr y grisiau.

'Mae 'na gar yn fflachio'i olau tu allan. Neu mae 'na rywun yn chwarae efo tân gwyllt.'

'Gobeithio nad oes 'na rywun wedi ffonio'r heddlu i riportio ein bod ni wedi torri i mewn yma, myn uffar i!' galwodd Mabli yn ôl arno cyn anelu tuag at yr ystafell ganol i nôl y drych crwn a adawodd yno ynghynt. Sylwodd fod Seimon yn dal i loetran yn y llofft.

'Ty'd, Sei, mae'r lle 'ma'n codi'r crîps arna i! A' i o 'ma hebddat ti os na wnei di frysio!'

'Gwynt teg ar d'ôl di, y cythraul!'

Martsiodd Mabli i waelod y grisiau.

'Sgiws mi? Ti'n trio bod yn ddoniol? Achos 'di o ddim yn gweithio, dallta! Ty'd yn dy flaen wir, dwi wedi cael digon!' Anesmwythodd Mabli o glywed rwdlian Seimon – doedd hi erioed wedi ei weld yn ymddwyn fel hyn o'r blaen.

Ond aros yn y llofft wnaeth Seimon.

'Mi ceith o chi! Mi ceith o chi! Chi a'ch cymeriad carismataidd! Waeth i chi heb! Waeth i chi heb! Gwynt teg ar d'ôl di'r cythraul!' sgyrnygodd. Yna, tawelodd.

'Wyt ti wedi gorffan malu cachu?' galwodd Mabli arno o droed y grisiau. Dim ymateb. 'Seimon!' galwodd eto, cyn penderfynu mynd i fyny i'w nôl.

Aeth yn syth i'r llofft ffrynt a gwelodd y gynfas ar y llawr wrth y drych. Bu ond y dim iddi ei gadael yno, ond roedd rhywbeth yn ei hisymwybod yn dweud wrthi am ei gosod yn ôl dros y celficyn.

Doedd Seimon ddim yno.

Aeth drwodd i'r stafell nesaf, oedd yn wag heblaw am bentwr o lyfrau yn y gornel. Edrychodd yn yr ystafell fach, ond doedd dim digon o le i disian yn honno, heb sôn am le i Seimon chwarae cuddio. Trodd at ddrws y stafell ymolchi.

'Seimon Gwyn, os wyt ti'n meddwl 'mod hi'n mynd i ddod i mewn i fanna i chwilio amdanat ti, mi gei di ail. Gei di aros yna!'

Dim byd.

'Seimon! Ffor ffy...'

Ciciodd y drws yn agored a daeth chwa chwdlyd o arogl drwg i'w chyfarfod. Gwnaeth sŵn cyfogi.

'Reit, twll dy din di, mêt. Dwi'n mynd!' Trodd ar ei sawdl i fynd lawr y grisiau, ei llawes fudur yn gorchuddio'i thrwyn.

'Ffonia fi pan fyddi di wedi penderfynu stopio chwarae gêms!'

Pan gyrhaeddodd y gwaelod, gwelodd ei hadlewyrchiad ei hun yn y drych mawr. Sôn am lanast o noson. Oedd hi wedi gwneud peth doeth yn gwahodd Seimon i ddod i'r tŷ efo hi? Ar un llaw, roedd hi'n falch o gael y cwmni, yn enwedig ar ôl gweld bod y lle mor annifyr, ond ar y llaw arall, roedd o wedi llwyddo i'w gwylltio hi go iawn efo'i sterics plentynnaidd.

Yn reddfol, edrychodd ar ei hadlewyrchiad yn y drych gan ddefnyddio golau ei ffôn i'w helpu. Cyffyrddodd ei gwallt yn ysgafn â chledr ei llaw yma ac acw fel y byddai'n gwneud cyn mynd allan o'r tŷ. Oedd. Roedd o'n ddigon del.

'Dwi'n mynd!' galwodd yn uchel am y tro olaf, a throi i nôl y drych crwn o'r ystafell ganol. Stopiodd yn stond.

Nid dyna roedd hi wedi disgwyl ei weld.

Roedd dewis ganddi, camu'n ôl i ailedrych ar ei hadlewyrchiad neu ei heglu hi oddi yno. Profodd y demtasiwn yn ormod o lawer iddi. Sleifiodd i mewn i'r ystafell ffrynt fesul modfedd gan roi hanner ei hwyneb heibio i ffrâm y drws. Gallai weld ei llun yn y drych drwy ei llygad dde. Yn araf, cododd ei ffôn. Taflodd olau ei ffôn ar y carped i ddechrau, yna'i godi'n araf bach a'i droi ati hi ei hun. Gallai weld yr huddygl a'r llwch ar ei llawes, a'r budreddi ar rannau eraill o'i chôt. Roedd ei chalon yn waldio yn erbyn ei hasennau wrth iddi fentro edrych i gyfeiriad y drych.

Doedd dim brycheuyn ar ei hadlewyrchiad. Dim cyrlen allan o'i lle. Ac os nad oedd hynny'n ddigon, roedd ei llygaid yn ddau bwll mawr du heb ddim bywyd i'w weld ynddynt. Oerodd Mabli drwyddi wrth i flew ei gwar godi fel pinnau o rew. Agorodd ei cheg i sgrechian, ond cyn iddi wneud hynny gafaelodd rhywun amdani fel petai'n ddoli glwt a'i sodro yng nghanol llawr yr ystafell ganol, allan o gyrraedd perygl.

Ar ôl gollwng ei afael ynddi, brasgamodd y dyn at y drych a chodi'r gynfas drosto. Cododd Mabli ei phen: nid Seimon oedd o! Roedd hwn yn lletach a thalach, ac yn gwisgo côt hir, dywyll at ei bengliniau.

''Sgin i ddim amser i egluro petha i ti – mae'n *rhaid* i ti ddod efo fi – *rŵan*!' gorchmynnodd y dieithryn mewn llais oedd mor gadarn â'i afael. 'Fel'na mae hwnna'n aros. Dallt?' cyfarthodd, gan bwyntio at y drych â'r gynfas drosto. Yna, brasgamodd tuag ati nes ei fod reit o'i blaen. 'Baltws ydw i, gyda llaw,' meddai mewn llais tyner.

Erbyn hyn roedd Mabli yn sefyll wrth y drws, yn syllu arno'n gegrwth. Agorodd Baltws ei geg drachefn i egluro y dylen nhw ei g'leuo hi oddi yno, ond cyn iddo fedru yngan gair arall rowliodd llygaid Mabli yn ei phen a simsanodd ei choesau. Syrthiodd ei ffôn ar y llawr wrth ei thraed.

'Wps!' meddai Baltws, gan ei dal yn swp diymadferth yn ei freichiau.

Heddiw

Dydd Sadwrn, Hydref 31
10.15 y bore

Wyddai hi ddim i ble roedd mis Hydref wedi mynd, ystyriodd Mabli wrth olchi mẁg yn y sinc i gyfeiliant Radio Cymru. Heddiw oedd y diwrnod cyntaf iddi deimlo'n weddol normal, ac yn rhan o realiti, ers wythnosau. Daeth trwmpedau agoriadol 'Parti'r Ysbrydion' gan Huw Chiswell i lonni'r gegin, ond doedd arni fawr o awydd gwrando felly trodd y sŵn i lawr.

Roedd hi wedi treulio'r bythefnos flaenorol mewn breuddwyd hir. Teimlai'n wan fel petai wedi bod yn sâl, ond ni chofiai hynny chwaith. Teimlai hiraeth hefyd, ond ni wyddai am beth, yn union. Caeodd ei llygaid a thylino ei hysgwyddau â'i bysedd er mwyn eu hesmwytho. Gwyddai fod y felan arni, a doedd ryfedd, ar ôl bod yn sâl cyhyd. Rhwbiodd ei llygaid a phwysodd ei dwylo ar ei chluniau. Roedd hi'n hen bryd iddi gael cawod, meddyliodd, os oedd hi am fynd yn ôl i'r gwaith ar ôl cinio. Byddai'n rhaid iddi gael llythyr doctor hefyd, mae'n debyg – roedd Arwyn yn fòs hoffus a rhesymol iawn, ond doedd dim isio cymryd mantais arno chwaith.

*　*　*

Parciodd Llinos ei char tu allan i'r cartref gofal. Diolch byth bod y sat-nav ganddi – fyddai ganddi ddim syniad sut i ffeindio'i ffordd o gwmpas strydoedd Glannau Merswy fel arall.

Edrychodd yn nerfus ar y bocs oedd ar y sedd wrth ei hochr, a oedd yn llawn o gopïau o ddogfennau o'r archifdy.

Roedd hi'n hanner awr wedi deg. Byddent yn disgwyl amdani. Gafaelodd yn y bocs, a cherdded at y drws. Yn fuan wedi iddi ganu'r gloch, daeth sŵn clecian drwy'r blwch metel o'i blaen.

'Hello?'

'Hello, it's Llinos Lloyd. I phoned yesterday about visiting Jac Percival Jones.'

Clywodd glec y drws yn datgloi ac aeth drwyddo.

Ddeuddydd ynghynt, treuliodd Llinos ei bore yn yr archifdy yn tyrchu am wybodaeth am 6 Trem yr Ywen ar gais Mabli Fychan. Pan ddaeth Buddug, y Prif Archifydd, ati i holi beth roedd hi'n ei wneud, cafodd wybod dwy ffaith ddifyr: yn gyntaf, fod Buddug yn perthyn i Jac drwy briodas. Yn ail, fod Jac yn dal yn fyw, ac yn trigo mewn cartref gofal yng Nghilgwri.

Cyffrôdd Llinos. Dyma'i chyfle i gael y blaen ar Mabli Fychan. Roedd golwg y diawl arni pan welodd hi yn y caffi y diwrnod cynt, ac roedd Llinos yn awyddus i ddangos i Mabli ac i Arwyn, golygydd y *Chronicle*, y gallai hi fod yn newyddiadurwr llawn cystal â nhw.

Treuliodd ei phrynhawn yn cysylltu â chartrefi henoed yr ardal cyn dod o hyd iddo, ac yn hytrach na rhannu'r wybodaeth efo Mabli ddydd Iau, penderfynodd fynd i wneud y gwaith ditectif ei hun.

* * *

Teimlai Mabli yn well fyth ar ôl cael cawod. Eisteddodd ar ei gwely i geisio brwsio'r caglau allan o'i gwallt, oedd yn dipyn o dasg. Rŵan, a hithau'n holliach, byddai'n siŵr o wneud iawn am yr amser a gollwyd yn ei gwaith.

Y gwaith. Cofiai ymweld â'r archifdy, ond be'n union fu hi'n ei wneud yno? Chwilio am wybodaeth, mae'n debyg, ond am beth? Roedd brith gof ganddi o siarad efo Llinos. Oedd hynny'n bwysig? Wyddai Mabli ddim. Gwisgodd amdani a chlymu ei gwallt yn ôl i guddio'r clymau mwyaf am y tro.

Ceisiodd benderfynu beth i droi ei sylw ato gyntaf: mynd drwy ei ffôn a'i negeseuon e-bost personol er mwyn chwynnu rhywfaint arnyn nhw cyn mynd i'r swyddfa, neu fynd i'w gwaith i glirio'r llanast fyddai'n siŵr o fod yn ei disgwyl yn fanno, a delio â'i bywyd cymdeithasol yn nes ymlaen. Petai'n mynd i'r swyddfa yn syth, gallai alw yn y caffi am frechdan i fynd efo hi. Wrth feddwl am y caffi, trawodd y felan hi eto.

'Dwi *ddim* yn cymryd diwrnod arall i ffwrdd o 'ngwaith,' datganodd yn uchel. Taflodd ei chôt goch dros ei braich a chipio'i goriadau oddi ar y bwrdd coffi. Cyn agor y drws cymerodd gipolwg arni hi ei hun yn y drych ar y wal.

Yna stopiodd. Pam fod edrych yn y drych yn deimlad mor ddieithr? Sylweddolodd nad oedd hi wedi ystyried rhoi colur ar ei hwyneb – roedd hynny'n anghyffredin iawn, ond doedd hi ddim awydd mynd yn ôl i'r llofft i ymbincio. Edrychodd ar ei horiawr. Roedd hi'n ugain munud i un ar ddeg.

Agorodd y drws ffrynt i weld rhywun yn sefyll o'i blaen.

'Mabliiiiiiii!'

Ddaru hi ddim dychryn, dim ond edrych ar y dyn tal, pengoch oedd yn dal ei freichiau allan fel petai am ei chofleidio.

'O. Chdi,' meddai, heb gynhyrfu dim.

'Wel, ga i ddod i mewn?' gofynnodd yn sionc.

Rhoddodd Mabli ei llaw ar ei thalcen wrth i'r atgofion annifyr ffrydio'n ôl i'w phen.

'Wyddost ti be? Mi faswn i'n hapus taswn i'n medru anghofio amdanat ti am byth,' cyfaddefodd.

Syllodd y cochyn arni fel petai heb glywed yr hyn ddywedodd hi, yn disgwyl gwahoddiad i'r tŷ.

'Ro'n i wir angen mynd i 'ngwaith, ond rŵan dwi wedi cofio nad oes 'na unrhyw bwynt.' Gwnaeth le iddo basio heibio iddi.

Cerddodd y dyn drwy'r ystafell fyw gan edrych o'i gwmpas, ac eisteddodd heb wahoddiad. Ochneidiodd Mabli wrth gau'r drws. Roedd hi wedi laru ar hyn. Gosododd ei chôt yn ôl ar bostyn y grisiau a thaflu ei goriadau ar lawr.

'Felly, ti'n licio dy waith?'

'Be?' Poerodd Mabli yr ateb ato. Doedd o erioed wedi dangos unrhyw ddiddordeb yn ei hagwedd tuag at ei swydd o'r blaen. Pam dechrau rŵan?

'W'sti ... ym, dy waith di – be ti'n neud o ddydd i ddydd.'

Caeodd Mabli ei llygaid am funud mewn anobaith. Oedd hwn o ddifri?

'Baltws,' meddai, fel athrawes ar fin rhoi pregeth. Gwenodd y dyn o'i blaen arni gan ddangos llond ceg o ddannedd gwynion, syth. Doedd hi ddim yn gyfarwydd â'i weld o'n gwenu. 'Mi wyddost ti'n well na'r un adyn byw arall nad ydw i wedi medru canolbwyntio'n iawn ar fy ngwaith am hanner y mis 'ma. A chdi ydi'r unig un sy'n gwybod pam hefyd.'

Nodiodd arni gyda chydymdeimlad ffug, a dal i wenu.

'Wel,' meddai ymhen hir a hwyr, 'sut wyt ti'n teimlo heddiw? Hapusach? Cryfach? Egnïol, hyd yn oed?'

'Wel, dwi'n dal ar goll heb fy ffrindia a fy mòs, ond yndda i fy hun, ydw, dwi'n teimlo'n well. Mi wnaeth dy gyngor di les i mi.'

'Be wnest ti felly?'

'Cysgu!' gwaeddodd. 'Cysgu a bwyta a molchi! Yn union fel y deudist ti wrtha i am wneud!'

'O.'

Erbyn hyn, a Mabli'n eistedd gyferbyn ag o, gallai weld nad oedd ei lygaid glas mor dreiddiol ag arfer. Oedd o'n teimlo'r pwysau, tybed, gan mai heddiw oedd y diwrnod mawr?

'Ydan ni am fynd i'r tŷ 'ma 'ta be?' gofynnodd Mabli iddo'n ddiamynedd.

Edrychodd arni'n syn. 'Rŵan? Ti'n barod i fynd rŵan hyn?'

'Wel, mae rŵan cystal amser â 'run arall,' meddai'n ddiamynedd. 'Heddiw ddeudist ti, 'de?'

'Heddiw? Ia, heddiw amdani 'ta.' Sbonciodd ar ei draed gan rwbio cledrau'i ddwylo yn erbyn ei gilydd nes i Mabli deimlo fel rhoi bonclust iawn iddo.

'Addo i mi y gwnei ditha ddiflannu hefyd, ar ôl i ni gael Seimon, Sera ac Arwyn yn ôl. Dwi 'di blino sbio arnat ti.'

'Mabli fach, mi fedra i ddeud efo fy llaw ar fy nghalon na weli di mohona i byth eto ar ôl heddiw.'

Cododd Mabli ei goriadau a'i chôt am yr eilwaith y bore hwnnw.

* * *

Arweiniwyd Llinos i lawr prif goridor cartref Mount Pleasant gan nyrs reit siriol. Roedd hi wedi cyfarch Llinos yn wresog pan ddaeth at y dderbynfa gan egluro nad oedd Mr Percival Jones yn arfer cael ymwelwyr o Gymru, a'i fod wedi cynhyrfu rywfaint pan eglurwyd iddo fod ymwelydd oedd yn siarad Cymraeg ar ei ffordd.

Rhoddodd stumog Llinos dro wrth glywed hyn. Hi fyddai'r gyntaf i'w holi am ei hanes felly, mae'n debyg.

Daeth y nyrs i stop ger drws un o'r ystafelloedd byw. Roedd nifer o breswylwyr yno, yn darllen, gwylio'r teledu, sgwrsio a synfyfyrio. Eisteddai Jac gyda phlanced dros ei goesau, yn edrych allan ar yr ardd drwy ffenestri'r ystafell haul. Cerddodd Llinos tuag ato.

Wrth nesáu, ceisiodd Llinos ddyfalu ei oedran. Mae'n rhaid ei fod dros ei bedwar ugain, meddyliodd. Roedd yn edrych dipyn yn fwy musgrell nag yn y lluniau a welodd Llinos ohono yn nogfennau'r archifdy.

'Jac Percy?' gofynnodd.

Trodd Jac i edrych arni, ac amneidio â'i ben i ddangos ei bod yn gywir.

'Chlywais i mo'r enw hwnnw ers amser maith iawn,' meddai mewn llais rhyfeddol o gryf. Gwnaeth ystum ar i Llinos eistedd, a gwnaeth hithau hynny gan droi ei hun ato fel y gallai weld ei wyneb yn glir.

'Ew, dach chi'n un anodd cael gafael arno fo, Mr ...' dechreuodd Llinos.

'Galwch fi'n Percy,' meddai'n bendant. 'Dyna oedd Janice, fy ngwraig, yn fy ngalw.'

'Percy,' meddai Llinos yn ansicr, gan deimlo braidd yn amharchus.

'Wyddoch chi,' meddai Jac, 'rydw i wedi byw mwy o flynyddoedd heb Janice bellach nag y gwnes i efo hi.'

Chwiliodd Llinos am ymateb addas. 'Mae hynna'n amser hir iawn, Mr... Percy.'

Sylwodd Llinos fod cefn yr hen ŵr wedi crymanu, ac roedd o wedi cwpanu ei law chwith er mwyn dal ei law dde. Tybed oedd o wedi cael strôc?

'Perthyn i Janice ydach chi?' gofynnodd iddi ymhen hir a hwyr.

'Wel, nage, â deud y gwir. Llinos ydi f'enw i, a dwi'n gweithio yn Archifdy Caerfai,' meddai, gan sylwi ar y cyffro lleiaf yn ei lygaid. 'Mi gysylltodd hogan o'r pentre, rhywun sy'n gweithio i bapur y *Chronicle*, efo fi sbel yn ôl, yn holi am dŷ y buoch chi'n byw ynddo fo.' Estynnodd am y bocs oedd ar ei glin ac agor ei gaead er mwyn chwilota ynddo. Cododd ei phen pan glywodd Jac yn siarad.

'Mi dreulis i oriau dirifedi yn yr archifdy 'na. Deudwch wrtha i, ydi Buddug yn dal i weithio yno?'

'Ydi tad, hi ydi fy mòs i,' meddai Llinos yn falch.

'Ma' hi'n perthyn i Janice, ar ochr ei thad.'

'Wel,' gafaelodd Llinos yn y bachyn, 'Buddug roddodd wybod i mi sut i ddod o hyd i chi.'

'Be oedd yr hogan riportar 'ma isio, felly?' gofynnodd Jac, gan sythu fymryn yn ei gadair.

'Wel, Mabli Fychan ydi'i henw hi, a ...' Chafodd Llinos ddim gorffen y frawddeg.

'Ydi hi'n perthyn i Idwal Wyn Fychan, y gweinidog?'

'Ei ferch o,' atebodd Llinos, gan ymfalchïo ei bod yn gallu creu cysylltiadau rhwng Jac a'i hen gynefin.

'Sut mae o bellach? Mae'n siŵr ei fod o wedi ymddeol erbyn hyn.'

'O, mae'n ddrwg gen i ddeud wrthach chi, Percy, ei fod o wedi'n gadael ni. Canser, dair blynadd yn ôl,' meddai Llinos yn gydymdeimladwy. Mae'n siŵr bod nifer fawr o'i gyfeillion wedi marw bellach, tybiodd.

Edrychodd Jac trwy'r ffenestr. 'Gweithio i'r *Chronicle* mae hi, meddach chi? Be ma' hi isio'i wbod am y tŷ 'na?'

'Wel, mi ddaeth ar draws eich enw chi yn Adran Astudiaethau Celtaidd y coleg, a deall eich bod chi wedi diflannu'n ddisymwth pan oeddech chi'n byw yn Nhrem yr Ywen. Mi ddaeth i'r archifdy i gael gafael ar hen erthyglau amdanoch chi, ac ati.' Erbyn hyn roedd hi wedi dod o hyd i'r papur y bu hi'n chwilio amdano yn y bocs. Sylwodd fod bodiau Jac yn troelli o gwmpas ei gilydd. 'Ac mi ddois i ar draws hwn.'

Cododd Llinos y darn papur er mwyn ei ddangos iddo, ond wnaeth pen Jac ddim symud. Trodd ei lygaid at y papur cyn edrych drwy'r ffenestr drachefn.

'Be ydi o?'

'Copi ydi hwn o wybodaeth Cyfrifiad 1911, yn nodi pwy oedd yn byw yn 6...' Chafodd Llinos ddim gorffen.

'William Williams, y tad; Leusa Williams, ei briod, a thri o blant: Emrys, Catherine a Betsan Williams.'

'Argol, mae'ch co' chi'n anhygoel!' rhyfeddodd Llinos.

'Catherine oedd fy landledi, cyn iddi farw,' meddai'n benisel.

'Wedyn mae gen i gopi o wybodaeth y cyfrifiad o 1981, yn dangos pwy oedd yn byw yno 'radeg honno. Mae'n debyg eich bod chi'n gwybod pwy oedd yntau hefyd?'

'Ro'n i'n ei nabod o'n dda iawn – Glandon Richards,' meddai, gan sythu yn ei gadair unwaith eto. Cynigiodd Llinos nôl clustog iddo, ond gwrthododd. 'Roedd o'n dysgu ffotograffiaeth yn y coleg, w'chi.'

Nodiodd Llinos.

'Ond am y teulu bach 'na ... ew, mae 'na hanes trist iawn iddyn nhw,' meddai Jac, 'oes wir.' Daliai i droelli ei fodiau, ac roedd ei lygaid yn fywiog. 'Wyddoch chi fod Leusa Williams wedi colli ei gŵr, ei mab a'i merch ieuengaf o fewn blwyddyn i'w gilydd?'

'Wel, mi ddois i ar draws rhyw erthygl yn crybwyll hynny,' cadarnhaodd Llinos.

'Mi fu Catherine yn edrych ar ôl ei mam yn ei thŷ ei hun ar ôl hynny, yn Stryd y Castell – ond mi gadwodd 6 Trem yr Ywen yn ei meddiant a'i rentu allan. Diau iddo wneud incwm go ddel iddyn nhw.'

Teimlodd Llinos ryw wefr yn chwalu drwyddi. Roedd cael y stori gan un oedd wedi'i chael o lygad y ffynnon yn gan mil gwell na'i darllen mewn hen bapur newydd.

'Ia ... ddaru Leusa Williams ddim colli Emrys ei mab drwy farwolaeth chwaith, naddo?' gofynnodd Llinos, i ddangos ei bod hithau hefyd yn gwybod peth o'u hanes.

'O,' ochneidiodd Jac yn deimladwy, 'mi fyddai wedi bod yn well i'r hen Emrys druan petai o wedi cael marw yn ei ugeiniau, yn lle diodda gweld ei deulu'n chwalu fel y gwnaeth o.'

'Doedd ysbytai meddwl ddim y llefydd gorau i bobol wael, yn eironig iawn,' cytunodd Llinos, 'ac mi roedd stigma ynglŷn â nhw hefyd, yn doedd?'

Ysgydwodd Jac ei ben i gytuno'n llwyr â hi.

'Awtistiaeth fasan nhw'n ei alw heddiw, debyg, rŵan bod

pobol yn dallt mwy ar y peth. Mi fu o'n byw yn yr ysbyty tan ganol yr wythdegau, wyddoch chi. Erbyn hynny ro'n i wedi symud i ...' cymerodd ennyd cyn dweud enw'r lle '... 6 Trem yr Ywen fy hun.' Cliriodd ei wddf. 'Ac yn nabod Catherine, oedd hefyd yn tynnu 'mlaen.'

Nodiodd Llinos a gobeithiai fod ei ffôn, oedd ynghudd ym mhoced flaen ei siaced, yn codi popeth a ddywedai Jac.

'Pan fu o farw, allai Catherine ddim stumogi mynd i'r ysbyty i nôl ei betha fo, felly mi es i ar ei rhan hi.'

Roedd hon yn mynd i wneud erthygl wych, meddyliodd Llinos. Edrychodd ar y cloc a gweld ei bod hi'n un ar ddeg o'r gloch. Bu'n recordio am tua chwarter awr yn barod.

'A be ffeindioch chi yn y 'sbyty meddwl?' holodd Llinos.

'Lot o betha. Lot fawr o betha ddaru achosi i mi fynd i rigol,' meddai'n dawel, ond yn gadarn. 'Mi ffeindis i betha yn fanno ddaru newid ffocws fy mywyd i'n llwyr o hynny 'mlaen, tan i mi adael y lle.'

'Be ffeindioch chi, Percy?' gofynnodd Llinos eto.

'Dillad, gwaith sgwennu ... a lluniau.'

'Lluniau o'r teulu?'

'Naci wir, lluniau o rwbath dieflig iawn.' Ysgydwodd ei ben fel petai o ddim eisiau dweud, a gwasgodd ei wefusau'n dynn yn erbyn ei gilydd.

'Cofiwch ddeud os ydi hyn yn mynd yn ormod i chi, Percy,' meddai Llinos, gan smalio ei bod yn poeni amdano.

'Na, na, mae hyn wedi cael ei gadw dan gaead am amser rhy hir o lawer, ac ma' hi'n hen bryd i'r cof am Emrys druan gael ei gydnabod,' ffroenodd, gan godi ei lais. Yna tawelodd. 'A phob un o'r lleill hefyd.'

Taflodd Llinos gipolwg cyflym ar y nyrsys ym mhen draw'r ystafell cyn gofyn y cwestiwn nesaf. Gwyrodd ymlaen yn ei chadair tuag ato.

'Be oedd yn ddieflig ynglŷn â'r lluniau, Percy?'

'Degau ar ddegau o'r un pethau oeddan nhw – lluniau o'r blwmin' drych felltith 'na!'

Doedd Llinos ddim yn deall. 'Ym ... drych?'

'Ia!' saethodd. 'Os ydach chi'n gwbod rwbath o gwbwl am y tŷ 'na, yna mi fyddwch chi'n gwbod am y drychau sydd i mewn ynddo fo. 'Dwn i'm os medrwch chi eu galw nhw'n ddrychau chwaith, achos 'dwn i ddim be ydyn nhw: peiriannau, teclynnau – beth bynnag ydyn nhw, maen nhw'n felltigedig o beryg.' Erbyn hyn roedd ei lais wedi codi. 'Chawson nhw mo'u creu ar y ddaear yma, yn sicr!'

Eisteddai Llinos yn syfrdan. Oedd Jac wedi dechrau drysu? Taflodd olwg ar y nyrsys eto, a'r tro hwn roedd un ohonynt wedi troi ei phen i edrych arnynt ar ôl clywed Jac yn codi'i lais. Gwenodd Llinos arni.

'Tasach chi'n mynd i fy llofft i rŵan, i waelod fy wardrob i, mi ddowch chi ar draws bocs efo'r enw Emrys Williams arno fo. Y tu mewn iddo fo, mi welwch chi ddegau o luniau o ddrych, a thwll mawr du yn chwyrlïo yng nghanol pob un ohonyn nhw.'

Lledodd llygaid Llinos. Oedd o newydd roi gwahoddiad iddi fynd i'w lofft i nôl y lluniau?

'Degau ar ddegau o'r un llun, ond bod ...' Ni allai orffen y frawddeg. Yna deffrodd drwyddo.

'Nyrs! Nyrs!' Roedd ei lais bellach yn gryf, a'i osgo'n perthyn i ddyn bywiocach o lawer na'r un y daeth Llinos i'w gyfarfod ugain munud ynghynt. Am funud tybiodd Llinos ei fod am i'r nyrs ei hel hi oddi yno, ond na.

'What's the matter, Percy?' gofynnodd yn ei hacen annwyl.

Rhoddodd yr hen ŵr gyfarwyddyd iddi hebrwng Llinos i'w lofft i nôl y bocs. Pan ddaeth Llinos yn ei hôl, roedd nyrs arall wedi dod â phaned bob un iddyn nhw ac wedi hulio bwrdd bach rhyngddynt. Diolchodd Llinos iddi, ac eisteddodd i lawr gyda'r bocs ar ei glin.

'Ia, ia, agorwch o,' gorchmynnodd Jac yn gynhyrfus.

Cododd Llinos y caead. Roedd y lluniau a welodd yn rhai tywyll iawn, gyda phlwm y bensil yn gorchuddio'r tudalennau i gyd, bron. Miloedd ar filoedd o gylchoedd mawr mewn drych ar ddwy goes. Roedd rhai o'r lluniau fel petaent o wyneb y drych yn unig, ac eraill o'r drych o bell, ar gefndir tywyll.

'Mi wela i be dach chi'n feddwl, Percy,' meddai Llinos. 'Roedd ganddo obsesiwn, yn doedd?'

'Sbïwch ar y rhai yng ngwaelod y bocs.'

Aeth Llinos drwyddynt yn gyflym nes cyrraedd y rhai isaf. Yr un drych oedd i'w weld yn y rhain hefyd, ond roedd rhywbeth ynddynt a gododd ofn ar Llinos.

'Pwy ydi hon yn y drych, Percy?' gofynnodd, gan obeithio y byddai ganddo ateb.

'Betsan – ei chwaer fach o.' Llanwodd ei lygaid â dagrau. 'Hi oedd yr unig liw yn ei fywyd trist o. Dyna pam ei fod o wedi lliwio'i ffrog hi'n las,' meddai, a'r lwmp yn ei wddw'n gwasgu ar ei lais. Syrthiodd y dagrau dros ei foch ar ei law. Plygodd Llinos ymlaen er mwyn estyn hances iddo. Wyddai hi ddim beth i'w ddweud.

'Welwch chi, doedd Catherine, chwaer fawr Emrys, ddim wedi dallt arwyddocâd y lluniau – roedd hi wedi symud oddi cartre ar ôl priodi, ac roedd ganddi deulu ei hun i ofalu amdanyn nhw,' eglurodd. 'Roedd y drych felltith 'na'n andwyo'u bywydau nhw.'

'Be dach chi'n feddwl?'

'Effeithio arnyn nhw – ymyrryd.'

'Maddeuwch i mi, Percy,' mentrodd Llinos, 'ond rydach chi'n siarad am y drych 'ma fel petai o'n berson.'

Caeodd Percy ei lygaid. 'Pan symudis i i'r tŷ teras 'na yn 1984, wedi i Glandon Richards ddiflannu, mi gysylltis i efo chwaer Glandon yn Cheltenham, a deud y baswn i'n cadw'i stwff ffotograffiaeth o, a chydig o'i betha fo, rhag ofn y basa fo'n penderfynu dod yn ei ôl yno ryw dro. Ro'n i wedi symud yno o dŷ mawr ac wedi cael gwared o'r rhan fwyaf o 'mhethau, heblaw am y car, wrth gwrs, felly roedd gen i ddigon o le. Yr unig beth oedd gen i o werth yno oedd fy llyfrau, fy ngwaith a fy nyddiaduron. Mi fedrwn i gadw'r rheiny i gyd yn y llofft ffrynt.'

'A'r rheiny sydd yn yr archifdy erbyn hyn,' meddai Llinos, gan gofio'r wefr a deimlodd ychydig ddyddiau ynghynt wrth ddod ar draws catalog o bethau o dan ei enw llawn.

'Y peth ydi, roedd Glandon wedi gadael y lle mewn coblyn o stad – coblyn o stad hefyd. Y lle tân yn llawn lludw, llestri te allan, lluniau dros y bwrdd bwyd ... a'r llofft. O, bobol bach, y llofft 'na.' Ysgydwodd ei ben. 'Roedd o wedi chwalu'r wal o gwmpas y lle tân ac wedi tynnu drych allan o'r plastar.'

'Oedd o'n ddrych reit fawr?'

'Cyn daled â chi, oedd.'

'Tebyg i hwn?' Pwyntiodd Llinos at un o luniau Emrys.

Nodiodd Jac yn swta. Doedd o ddim eisiau edrych ar y lluniau eto.

'Wedyn,' parhaodd, 'mi gadwis i'r lluniau yn daclus yn ei stafell dywyll o, a symud fy mhetha fy hun yno ar ôl clirio'r llanast. Y peth ydi, welwch chi, nid un drych fel'na oedd yno, ond dau!'

'Dau ddrych?'

'Ia, dau o'r diawchiaid! Ac i ddechra ro'n i wedi gwirioni efo nhw – roeddan nhw'n amlwg yn *antiques*, a chrefftwaith arbennig reit rownd y ffrâm,' meddai, gan wneud siâp hirgrwn â'i ddwylo. Gwrandawai Llinos yn astud arno. 'Wedyn, un noson, ar ôl yfed chydig o win coch, mi ddaeth ryw awydd drosta i i fynd i chwilota drwy bethau Glandon. Achos mi oedd o'n ddyn amlwg o gwmpas yr ardal. Meddwl wnes i y baswn i'n medru sgwennu llyfr fel rhyw fath o deyrnged iddo fo.'

Estynnodd Jac am ei gwpan ac yfed ohoni, ac arhosodd Llinos yn eiddgar iddo ailafael yn ei stori.

'Wedyn, mi es i i fyny a gafael yn y pentwr lluniau roedd o wedi'u gadael ar y bwrdd bwyd. Wel, diawch, do'n i ddim yn medru gwneud na phen na chynffon o'r hyn oedd ynddyn nhw.

Ond wedi stydio a stydio, a sbio'n iawn efo chwyddwydr, mi sylweddolis i fod 'na rwbath ofnadwy wedi digwydd iddo fo. Roedd y drych fel petai o'n ... fyw.'

Dechreuodd Llinos gredu y dylai gymryd pinsiaid reit fawr o halen efo'r stori, er bod Jac yn ymddangos fel petai'n credu pob gair yr oedd o'n ei ddweud.

'Be dach chi'n feddwl, "byw", Percy?'

'Mae hi'n anodd egluro'n iawn. Roedd Glandon wedi tynnu llun y drychau, ac mi oedd 'na rwbath o'i le yn y drychau ym mhob un, jest. Roedd 'na un yn llawn o niwl, un arall heb adlewyrchiad Glandon ynddo fo o gwbwl, un arall efo'i adlewyrchiad o ynddo fo, ond yn sbio'n farwaidd yn ôl arno fo. Wedyn, mi ddois ar draws un oedd yn ddigon i ddychryn dyn i'w seiliau.' Oedodd cyn dweud y frawddeg nesaf. 'Llun ohono fo'n sefyll o flaen y drych, ond roedd 'na rywun arall yn y drych hefyd.'

'Pwy?'

'Y fo ei hun. Roedd 'na ddau ohono fo yno.'

Penderfynodd Llinos mai tric camera roedd Jac wedi'i weld, felly ddaru hi ddim cynhyrfu gormod wrth glywed y disgrifiadau o'r lluniau. Wedi'r cyfan, roedd Glandon yn ffotograffydd proffesiynol ac yn feistr ar ei grefft.

'Be ydi'r cysylltiad rhwng Glandon yn yr wythdegau a Betsan Williams yn y dauddegau 'ta, Percy? Mae 'na drigain mlynedd o fwlch yno.'

'Wel, yn ôl Catherine, mi ddiflannodd ei chwaer fach heb ddweud gair wrth neb, a doedd dim arwydd ei bod hi wedi paratoi i adael o gwbwl. Roedd ei dillad a'i phethau yn dal i fod yn y tŷ i gyd, yn union fel ddigwyddodd i Glandon. Roeddan nhw'n meddwl i ddechrau bod ei hewythr, Richard, wedi ei helpu i redeg i ffwrdd i America, ond roedd gwewyr hwnnw mor drwm wedi iddi ddiflannu, mi benderfynodd pawb nad oedd ganddo fo ddim byd i'w wneud efo'r peth.'

'Wedyn ...?'

'Ro'n i'n meddwl bod ei diflaniad hi'n amheus, ond wnes i ddim sylweddoli pa mor amheus nes i mi weld lluniau Emrys.' Cododd Jac ei ben a syllu i fyw llygaid Llinos. 'Mae'r drychau 'na'n dwyn pobol.'

* * *

'Dwi 'di cael un coffi bora 'ma'n barod,' cwynodd Mabli'n ddiamynedd. Roedd ei chyfaill newydd wedi ei hebrwng i'r caffi a'i rhoi i eistedd wrth fwrdd gwahanol i'r arfer.

'Mae angen i ti gael rwbath yn dy fol, Mabli, er mwyn i ti gael digon o nerth i fynd i'r tŷ.' Cliciodd ei fysedd ar Megan, y weinyddes, a wnaeth hynny ddim plesio.

Allai Mabli ddim dadlau ag o, gan nad oedd wedi cael brecwast. Roedd hi erbyn hyn yn tynnu at ugain munud wedi un ar ddeg.

'Argol! Sbïwch pwy sy'n edrych yn well!' ebychodd Glenda wrth sylwi fod Mabli yn edrych yn fwy fel hi ei hun.

'Dwi *yn* teimlo'n well heddiw, diolch Glenda,' cyfaddefodd Mabli.

'A lle dach chi'n cael mynd heddiw?' gofynnodd i'r ddau yn eiddgar, gan lygadu'r dyn rhyfedd o'i blaen yn chwilfrydig am y trydydd tro mewn pythefnos.

'O ... nunlla sbesial,' atebodd Mabli'n swta.

'A be gymerwch *chi*?' gofynnodd Glenda, gan droi i wynebu'r un roedd hi'n gwybod yn iawn, bellach, pwy oedd o, waeth beth ddywedodd o wrthi y diwrnod o'r blaen.

'Ar ddiwrnod fel heddiw? Mi gym'ra i ddŵr poeth, siwgwr, tost a menyn. Diolch yn fawr iawn,' atebodd, fel petai dim yn ei boeni.

Synnodd Mabli – doedd ganddi ddim cof o weld Baltws yn bwyta unrhyw beth o'r blaen.

'I ti mae'r tost, gyda llaw. 'Mond dŵr poeth a siwgr dwi'n gael.'

'Dŵr poeth a siwgr? Mynd i wneud caramel wyt ti?' gwawdiodd Mabli.

'Ha ha, ia, da rŵan,' meddai, gan daro ei fysedd yn rhythmig yn erbyn y bwrdd.

''Sti be, dwi ddim yn dy licio di pan ti mewn hwylia da.'

Teimlai Mabli ar goll rywsut – roedd Baltws wedi arfer ei gwarchod, a'i harwain, ond heddiw roedd o'n ymddwyn fel brawd bach oedd yn ceisio bob ffordd i'w gwylltio. Chafodd ei geiriau ddim effaith o gwbwl arno.

Ymhen hir a hwyr daeth Glenda Wyn â phopeth at y bwrdd. Oedodd ar ôl gwagio'i hambwrdd.

'Welist ti Buddug o'r archifdy yn ddiweddar?' gofynnodd.

Dechreuodd Mabli dywallt paned iddi hi ei hun cyn ateb.

'Mi fuon ni'n dau yn yr archifdy … echdoe?' meddai toc, gan droi at Baltws am ei gadarnhad, ond doedd o ddim fel petai o'n gwrando hyd yn oed. 'Ond dwi'm yn cofio os gwelis i Buddug yno chwaith. Pam dach chi'n gofyn?'

'Wel … mi fu hi yma ddoe ar ôl i chi'ch dau a Llinos fynd o 'ma.' Edrychodd Glenda i lawr ar ei dwylo. 'Mi gawson ni sgwrs reit ddiddorol.'

'Be ddeudodd hi?'

'Duwcs, dim byd mawr. W, dwi'n licio dy fodrwy di,' meddai Glenda, gan newid trywydd y sgwrs. Gafaelodd yn llaw Mabli gan gymryd arni ei bod yn astudio'r fodrwy.

'Diolch. Anrheg gan Dad oedd hi,' meddai Mabli'n ddryslyd. Yna, rhoddodd ei stumog naid wrth iddi deimlo Glenda'n stwffio darn o bapur i'w llaw.

'Wel,' meddai Glenda, 'well i mi fynd yn ôl at fy ngwaith, tydi!' Oedodd, a throi at y dyn pengoch. 'Ydi'r dŵr poeth 'na'n iawn i chi?'

'Ydi, diolch yn fawr,' meddai hwnnw.

Tra oedd o'n tywallt dogn annaturiol o helaeth o siwgr i'w

ddŵr poeth, agorodd Mabli y darn papur yn ei llaw. Arno roedd dau air.

'Toilet. Rŵan.'

* * *

Doedd dim i'w glywed ond sŵn y te yn byrlymu o'r tebot i'r gwpan. Teimlai Llinos ei bod hi'n bwysig iddi beidio ymateb i'r hyn roedd Jac wedi'i ddweud. Roedd hi'n amlwg erbyn hyn nad oedd Jac yn ei iawn bwyll – beth bynnag ddigwyddodd i Betsan a Glandon, roedd eglurhad hollol resymol i'w gael, roedd Llinos yn siŵr o hynny.

'Be ddeudoch chi 'di enw merch y gweinidog?' gofynnodd Jac i Llinos ymhen hir a hwyr.

'Mabli Fychan,' atebodd Llinos. 'Ga i ofyn pam eich bod chi'n meddwl bod y drychau 'ma'n dwyn pobol, Percy?'

Cododd Jac ei ben fel pe na bai o wedi clywed ei chwestiwn o gwbwl, ac edrych o'i gwmpas fel petai'n chwilio am rywbeth. Ymhen eiliad neu ddwy, plygodd yn nes at Llinos.

'Welwch chi'r dyn na'n fanna?' gofynnodd, gan bwyntio'n gynnil efo'i law.

Edrychodd Llinos i'r gornel lle roedd hen ddyn yn eistedd mewn cadair olwyn yn gwrando ar y radio. Nodiodd ei phen.

'Fedra i ddim diodda sbio arno fo, 'tawn i'n marw,' sgyrnygodd.

Roedd Llinos ar goll.

'Pam, felly?' mentrodd ofyn.

Pwysodd Jac yn nes fyth, er nad oedd neb arall ond nhw yn deall Cymraeg.

'Am mai cochyn ydi o,' meddai'n bwdlyd, ac eistedd yn ôl yn ei gadair.

'Ym ... tydach chi ddim yn hoff o walltiau coch, Percy?'

gofynnodd Llinos, ond wrth iddi yngan y geiriau, dechreuodd rhywbeth stwyrian yn ei meddwl.

'Nac'dw!' brathodd. 'Fu gen i erioed broblem efo pobol bengoch, tan droad y mileniwm ...' a sgyrnygodd eto.

Trodd meddwl Llinos eto at y ffôn oedd yn recordio yn ei phoced. Gobeithiai'n wir fod llais Jac yn ddigon cryf i'r meicroffon ei glywed.

'Ydi o'n eich atgoffa chi o rywun tydach chi ddim yn ei licio?'

Caeodd Jac ei lygaid ac ysgwyd ei ben yn araf o'r naill ochr i'r llall. Gwasgodd ei wefusau at ei gilydd a gafael yn dynnach ym mreichiau'r gadair.

'Ydi,' meddai o'r diwedd.

Gwelai Llinos fod Jac yn anesmwytho, ond roedd yn rhaid iddi ddod at wraidd y mater. 'Pwy, Percy?'

'Rhyw lefnyn ddoth i'r coleg 'cw i ddilyn cwrs Astudiaethau Celtaidd.'

'Oedd ganddo fo enw?' prociodd Llinos, er ei bod yn gwybod yn iawn mai Cadfri Beiddwy roedd Jac yn siarad amdano.

'Oedd, ond dwi'm isio'i ddeud o. Enw gwirion oedd o p'run bynnag.'

Estynnodd Llinos i mewn i'w bocs a chodi darn o bapur ohono.

'Hwn oedd o?' gofynnodd, gan ei ddal o flaen wyneb Jac.

Cyn iddo gael cyfle i droi ei ben na chau ei lygaid, gwelodd wyneb cyfarwydd yn gwenu arno o dudalen flaen papur bro *Yr Efaill*. Hon oedd yr union dudalen y gwnaeth ei defnyddio i gael gwared o Cadfri y noson erchyll honno flynyddoedd yn ôl. Rhoddodd hi yn y bocs a yrrodd i'r archifdy, a dyma hi eto, fodfeddi o flaen ei drwyn. Syllodd arni'n gegrwth. Yna, ymhen hir a hwyr, dechreuodd chwerthin.

Chwarddodd yn afreolus am hir nes ei fod yn ysgwyd yn ei gadair, a rhoddodd gic i'r bwrdd oedd yn dal y te nes bod y llestri'n tincial.

Edrychodd Llinos arno mewn dryswch llwyr. Oedd hi wedi cael y llun cywir? Neu wedi camddeall rhywbeth mawr?

'Oes 'na rwbath o'i le, Percy?'

Tarodd hwnnw freichiau ei gadair â'i ddwylo a chodi ei draed oddi ar y llawr.

'Wyddoch chi be? Rydw i wedi osgoi pob dim oedd yn gysylltiedig â 'nghyfnod yn y tŷ 'na ers i mi adael, ac wedi poeni sut y baswn i'n teimlo petawn i'n gweld wyneb y cythraul yna, ond rŵan, ar ôl gweld ei hen wên wirion o – fedra i ddim stopio chwerthin! Y fo ddeudodd wrtha i am y drychau 'ma, welwch chi. Y fo ddaru gadarnhau pob dim ro'n i wedi ei amau. A be oedd o isio? Nid gradd mewn astudiaethau Celtaidd, o na, ond *fi*!' Ysgydwodd ei ben wrth ddweud y geiriau.

Tybed oedd o'n mynd i sôn am y si fu ynglŷn â'r ddau ohonyn nhw? Roedd Llinos yn ysu i gael gwybod mwy.

'Isio i *mi* ddiflannu i'r drych 'na fel y ddau arall! Ond mi ddeudis i wrtho fo ... mi ddeudis i na fasa fo'n medru fy rhwydo *fi*, dros ei grogi!' Pwyntiodd at ei frest ei hun. 'Roedd hwn yn un enaid lwyddodd i'w drechu o. Fo a'i ddrych.' Lledodd dryswch dros wyneb Llinos wrth i Jac fynd i hwyl. 'Felly mi ges i'r gora arno fo. Mi redodd o'r tŷ 'cw un noson fatha tasa 'na haid o wenyn am 'i waed o, a welis i rioed mohono fo wedyn. Mi gafodd o ail, o do!'

Sylweddolodd Llinos nad oedd pwrpas holi ymhellach – doedd dim gobaith o gael unrhyw synnwyr ganddo. Ond o leiaf gallai hi ddweud ei bod wedi dod o hyd i Jac Percy, oedd yn fwy nag y gallai Mabli Fychan fawr ei ddweud. Rhoddodd y papurau yn ôl yn y bocs a'i gau yn glep, ond daliodd Jac ymlaen i siarad.

'Yn ôl y cythraul mewn croen 'na, mae'r drychau yn dwyn pobol, ac maen nhw'n ffafrio cymeriadau hyderus. Pobol o ryw galibr, welwch chi, fel fi 'radag honno. Dyna pam na chafodd Emrys druan ei ddwyn – roedd meddwl Emrys druan yn wahanol i bawb arall ... ond mi roedd y creadur yn gwybod yn iawn beth oedd y Drychwll. Roedd o'n gwybod yn well na neb.'

Roedd Llinos ar fin holi beth yn union oedd Drychwll, ond cipiodd Jac y bocs oddi ar ei glin a thyrchu i'w waelod. Daeth o hyd i ddarn o bapur gydag ysgrifen hen ffasiwn arno a'i roi i Llinos.

'Darllenwch rheina. Os ydach chi isio gwbod yn iawn be mae'r drychau 'na'n wneud i bobol, dim ond darllen rheina sydd raid.'

Gan nad oedd hi eisiau ymddangos yn bowld, edrychodd Llinos ar y papur. Roedd cyfres o bedwar pennill arno, a chafodd fymryn o drafferth i'w dehongli. Ymhen hir a hwyr, cyrhaeddodd y diwedd:

Ei drachwant yw meddu dy enaid;
Ar reibio dy enaid mae'n byw.

'Pwy sgwennodd rhain?' gofynnodd wedi iddi orffen.

'Emrys. Doedd o ddim yn un am gyfathrebu llawar iawn efo pobol, ond mae o wedi egluro hynna'n reit glir.'

'Mae o'n ddramatig iawn, tydi?' sylwodd Llinos, heb feddwl o gwbwl bod gwirionedd i'r geiriau. "Ar reibio dy enaid mae'n byw"?'

'Ia. Roedd gan Emrys brofiad o'r Drychwll, welwch chi.'

'Be dach chi'n feddwl, Percy?'

'Trowch y papur drosodd a darllenwch be mae o'n 'i ddeud ar y cefn.'

Yn ddrwgdybus, ufuddhaodd Llinos. Roedd mwy o benillion yno, a dechreuodd eu darllen yn uchel.

'Dyma besgi anhrugarog, annhosturi fel y lli ... tra bo'r Drychwll du yn bod.'

Cododd ei phen i edrych arno fel petai ar goll.

'Maen nhw'n bwyta'ch enaid chi wedi i chi syrthio i mewn iddyn nhw. Ond doedd enaid Emrys ddim yn ddigon da ganddyn nhw, felly mi gafodd o'i luchio allan.'

Bellach, roedd Llinos wedi colli ei hamynedd yn llwyr. Mynd adref fyddai orau, rhag gwastraffu mwy o'i hamser. Efallai y gallai greu rhyw fath o erthygl efo'r wybodaeth oedd ganddi, ond doedd dim mwy i'w ddysgu yn fan hyn.

'Dyna pam roedd y Cadfri 'na isio rhywun fel fi i mewn ynddo fo – roedd gen i feddwl cryfach.'

'Wel, wyddoch chi be?' atebodd Llinos yn ddiamynedd wrth hwylio i adael, 'mae o yn ei ôl.'

Sobrodd Jac drwyddo.

'Pwy sydd yn ei ôl?'

'Cadfri Beiddwy.'

Symudodd yn nes ati eto, gan syllu arni'n ddeifiol. 'Be ddudsoch chi?'

'Mae Cadfri Beiddwy yn ei ôl yn yr ardal 'cw. Ac mae o'n treulio'i amser efo Mabli Fychan.'

Fflachiodd llygaid Jac. Roedd ei anadl wedi cyflymu. 'Sut hogan ydi hi?'

'Wel, mae hi'n meddwl ei hun dipyn go lew. Leicis i fawr arni erioed,' atebodd Llinos. Yna, teimlodd afael cadarn llaw Jac ar ei braich. Taflodd gipolwg i gyfeiriad y nyrsys. Na, doedden nhw ddim yn edrych i'w cyfeiriad.

'Ewch chi yno i'w hachub hi – ei leicio hi neu beidio, ewch yno i'w hachub hi, neu mi fydd o wedi'i dwyn hithau hefyd!'

Doedd gan Llinos ddim amynedd ar ôl. Tynnodd ei braich yn ôl o'i afael.

'Diolch i chi am eich amser, Percy,' meddai, gan gymryd y bocs o'i afael. Yn ôl y cloc ar y wal roedd hi'n hanner awr wedi un ar ddeg, felly trodd ei chefn arno, a cherdded tuag at y drws. Roedd hi ar fin diolch i'r nyrsys am y cyfle i ymweld â Jac, pan sylwodd nad oedd o yn ei gadair. Arwyddodd y llyfr yn y dderbynfa ei bod yn gadael, ac aeth allan i gyfeiriad ei char.

* * *

Safai Mabli ger y sychwr dwylo yn nhoiled y caffi, yn ceisio peidio ag edrych yn y drych. Roedd yn falch pan ddaeth Glenda Wyn i mewn.

'Gwranda, Mabli, mae Buddug a finna wedi bod yn siarad am y boi 'na sydd efo chdi.'

'O?'

'Mae o wedi bod o gwmpas y lle 'ma o'r blaen ... ers talwm.'

Wnaeth Mabli ddim ymateb am hir, dim ond dechrau crafu blaen ei hesgid efo sawdl ei throed arall. O'r diwedd, atebodd.

'Ylwch, mae 'na gymaint am y boi fedra i 'mo'i rannu efo neb.'

'Poeni ydw i nad wyt ti'n saff efo fo.'

Ochneidiodd Mabli. Oedd, roedd golwg wahanol i'r rhelyw o ddynion arno, ac roedd rhyw deimlad od yn ei gylch o, roedd hynny'n wir.

'Wyddoch chi be, Glenda, dwi'n gwbod 'i fod o wedi bod yn bowld efo chi, ond dwi'n teimlo'n hollol saff efo fo. Dwi'n medru'i drin o.'

Syllodd Glenda arni. Tybed faint oedd Mabli yn ei wybod amdano go iawn?

'Dwi ddim yn gwybod y stori i gyd, ond ma' hi'n amheus braidd fod Jac Percy wedi rhedeg i ffwrdd 'run pryd â fo, tydi? Wyddon ni ddim pam ddaru Jac Percy ei heglu hi o 'ma, ond dwi'n cael teimlad annifyr o gwmpas hwn.'

'*Hang on*, ydach chi'n deud bod hwn a Jac Percy yn nabod ei gilydd?' gofynnodd Mabli mewn penbleth. 'Sut wyddoch chi?'

'Buddug oedd yn sôn fod Llinos wedi dod ar draws llwyth o wybodaeth amdano fo. Wyddet ti mai 'Jones' ydi cyfenw Jac Percy? Tasa cofnodion yr archifdy i gyd yn ddigidol, mi fysat ti wedi medru dod o hyd i'w bapurau o yn gynt. Ac ar ben hynny, mae o'n dal yn fyw, mewn cartref gofal yn ochrau Lerpwl.'

Lledodd llygaid Mabli. 'Be?' Atseiniodd ei gwich dros y lle chwech.

'Buddug roddodd ei enw llawn o i Llinos – mae hi'n perthyn iddo fo drwy briodas. Ta waeth, roedd 'na stiwdant ifanc yn treulio lot fawr o'i amser efo fo o gwmpas y lle 'ma – stiwdant yr un ffunud â hwnna allan yn fan'na sy'n yfad dŵr poeth a siwgwr. Mi ddiflannodd y ddau o'r ardal o gwmpas yr un amser. Roedd lot yn ama 'u bod nhw wedi rhedeg i ffwrdd efo'i gilydd, ond roedd petha Jac yn dal yn y tŷ: dillad, pasbort, côt, ei het, hyd yn oed ... a darganfuwyd wedyn nad oedd cofnod gan y coleg o gyfeiriad, hyd yn oed, i'r cochyn hwnnw. Felly, wrth reswm, roedd pawb yn meddwl mai hwnnw oedd y drwg, a'i fod o wedi gwneud rwbath i Jac. Ugain mlynedd yn ddiweddarach, ac mae o yn ôl, ac wrth dy gwt di!' Oedodd Glenda, rhag ofn y byddai gan Mabli ymateb o ryw fath. Gan nad oedd, gorffennodd Glenda yr hyn oedd ganddi i'w ddweud. 'A wyddost ti be sy'n hollol blwmin boncyrs? Mewn bron i ugain mlynadd, tydi'r boi ddim 'di heneiddio o gwbl.'

Syllodd Mabli ar ei hesgidiau heb yngan gair.

'W'sti lle ma Llinos wedi mynd heddiw?' gofynnodd Glenda.

'Dwn i'm. Lle?'

'I ochra Lerpwl at Jac Percy ei hun, i'w holi fo am yr hanes,'

Syllodd Mabli arni'n gegrwth. Roedd Jac Percy yn fyw, yn byw yn Lerpwl, ac roedd Llinos wedi celu'r wybodaeth oddi wrthi er mwyn mynd yno ei hun?

'Fedra i'm coelio hyn!' Cododd ei llais dros y lle chwech oeraidd. 'Fy stori i oedd honna! Be ddiawl mae Llinos Llwydyn yn wneud yn mynd ar ei thrywydd hi?'

'Am ei rhoi hi i'r *Chronicle*, mae'n debyg ... isio newid cyfeiriad ei gyrfa.'

Daeth Mabli'n ymwybodol o sŵn ei hanadlu trwm. Pwysodd ar y sychwr dwylo a rhoi ei llaw oer ar ei thalcen.

'Reit! Dwi'n mynd!' Fel roedd Mabli'n martsio at y drws, gafaelodd Glenda yn ei braich.

'Paid â threulio gormod o amser efo hwnna, Mabli. Tydi o ddim yn un i'w drystio.'

'Un enw,' meddai Mabli. 'Jac Percy.'

'Be amdano fo?' oedd ei ateb di-hid.

'Oeddat ti'n ei nabod o?'

'Nag o'n i,' meddai'n gwbwl ddiargyhoeddiad.

'Dwi newydd glywed ei fod o'n dal yn fyw.' Gobeithiodd Mabli y byddai ei newyddion yn rhoi sgytwad iddo, ond cododd ei gwpan at ei geg er mwyn cuddio'i ymateb.

'Wel?' pwysodd Mabli.

'Tydi rhyw hen ddyn fel Jac Percy ddim yn bwysig bellach,' meddai toc.

'Wel be sy'n bwysig 'ta?'

'Dy fod di a fi yn mynd i'r tŷ 'na, heddiw, ac yn cael Seimon dy fòs, a dy ffrindia, a phwy bynnag arall sy ynddo fo, yn un rhibidirês hir yn ôl allan o'r Drychwll. Heddiw.'

'Allan o'r *be*?' gofynnodd Mabli'n flin. 'Wnest ti erioed roi enw iddo fo o'r blaen!'

'Naddo? Wel, dwi'n gwneud rŵan.'

'Ac Arwyn ydi enw fy mos i, nid Seimon,' cywirodd ef yn swta.

'Hollti blew ... hollti blew.'

'Gwranda! Dwi wedi cael fy rhybuddio yn dy gylch di gan bobol, a'r peth fasa'n rhoi y mwya o bleser i mi rŵan fasa mynd i'r tŷ 'na, cael fy ffrindia i gyd yn ôl a dy luchio di i mewn i'r blydi drych er mwyn cael gwared ohonat ti,' sgyrnygodd arno. 'Ro'n i'n arfar meddwl dy fod di'n dipyn o foi, ond heddiw ti'n ddim byd ond rwdlyn gorchestol, a fedra i ddim aros i weld dy gefn di am byth.'

'Wyt ti 'di gorffen?'

Nid atebodd Mabli, dim ond edrych i gyfeiriad Glenda, oedd bellach y tu ôl i'r cownter, ond yn cadw llygad barcud arni.

Mewn gwirionedd, roedd Mabli'n siomedig fod Baltws wedi newid cymaint. Bellach, doedd hi ddim yn teimlo'n hollol gyfforddus yn ei gwmni.

Cododd yntau ar ei draed. 'Mae'n amser i ni gychwyn, Mabli – mae ugain munud dda o waith cerdded. Ty'd. Mae hi'n tynnu at chwartar i ddeuddeg rŵan.' Gwnaeth arwydd arni i fynd i dalu.

'Mi fydd Llinos yn ôl yma erbyn amser cinio efo'r hanes i gyd,' meddai Glenda'n uchel pan gyrhaeddodd Mabli y cownter. 'Pam nad ei di i'r archifdy i'w holi hi?'

'Mi wna i fwy na'i *holi* hi,' atebodd Mabli drwy ei dannedd.

Wedi talu i Glenda, oedodd Mabli ger y cownter. Câi ei themtio i aros yn niogelwch y caffi yng nghwmni Glenda, ond gwyddai pwy roedd yn rhaid iddi ei ddilyn, er ei fod yn ymddwyn mor od, mor ddi-hid. Roedd yn rhaid iddi achub ei ffrindiau.

'Ma'n rhaid i mi fynd i 6 ...' Stopiodd Mabli ei hun rhag dweud i ble. 'Mae 'na rwbath mae'n rhaid i mi ei wneud. Diolch i chi am ddeud wrtha i am Llinos.' Cerddodd allan o'r caffi cyn i Glenda gael cyfle i holi.

Pendronodd Glenda. Oedd Mabli ar fin dweud ei bod ar ei ffordd i 6 Trem yr Ywen? Dechreuodd ei gwaed ferwi. Roedd y crinc yn bwriadu mynd â hi i'r hen dŷ 'na, a dyn a ŵyr beth oedd o am ei wneud iddi yno. Wedi'r cyfan, diflannu oddi yno wnaeth Jac Percy. Beth ar wyneb y ddaear oedd yn mynd ymlaen? Doedd gan Mabli druan neb i ofalu amdani bellach ... a doedd Glenda ddim am adael i unrhyw ddrwg ddod i'w rhan.

Ystyriodd fynd i'r archifdy i gyfarfod Llinos – nid am fod ganddi ddiddordeb yn Jac Percy, ond am ei bod eisiau gwybod mwy am yr un a achosodd iddo ei miglo hi am Lerpwl, yr un a drodd Mabli i fod yn gysgod ohoni ei hun. Taflodd gipolwg sydyn dros y caffi – doedd hi ddim yn brysur. Tynnodd ei brat a throdd at Megan, y weinyddes.

'Dwi'n mynd allan am ryw ... hannar awr bach.'

* * *

Roedd Llinos yn nesáu at y ffin rhwng Lloegr a Chymru, a hynny ar gyflymder reit dda. Ei gobaith oedd cyrraedd ei gwaith toc ar ôl cinio, ond roedd ei chynlluniau wedi newid ers iddi adael maes parcio'r cartref henoed.

'*At the next roundabout, take the second exit*,' meddai'r ddynes ar ei ffôn.

'Ew, mae'r teclyn bach 'ma'n glyfar gynnoch chi,' clywodd lais Jac wrth ei hochr. 'Be ddudsoch chi oedd o? Rwbath yn eich ffôn chi?'

'Ia, "ap" ydi'i enw fo – talfyriad o *application*.'

Ysgydwodd Jac ei ben. Roedd y byd modern yn troi ar gyflymder annynol bellach, ac fe benderfynodd sawl blwyddyn yn ôl y dylai roi'r gorau i geisio cadw i fyny ag o.

'Ydach chi'n gyfforddus yn fanna?' gofynnodd Llinos ymhen sbel.

Oedd, roedd o'n gyfforddus. Gwingo yn ei sedd am na allai gyrraedd pen y daith yn ddigon cyflym roedd o.

Doedd Llinos ddim yn hapus iawn o'i gael o yn ei char. Doedd hi ddim wedi rhoi gwahoddiad iddo ddod yn ôl efo hi, a doedd hi'n sicr ddim wedi cael caniatâd y cartref i fynd ag o oddi yno.

Wrth i Llinos gerdded allan o'r cartref gofal, fe gollodd gynhwysion ei bocs hi a bocs Emrys ar y llawr ym mhob man. Daeth tair nyrs ati i'w helpu i roi'r papurau yn ôl yn y bocsys, a dyna pryd i Jac, mae'n debyg, weld ei gyfle i sleifio allan o'r cartref a dal Llinos wrth iddi siarad ar y ffôn efo Buddug yn ei char.

'Ymhen faint fyddwn ni yno?' gofynnodd i Llinos.

'Chydig llai nag awr, Percy.'

* * *

Safai Mabli o flaen y tŷ teras di-nod, erchyll, unwaith eto. Roedd o fel magned iddi. Clywodd sŵn sglaffio wrth ei hochr a throdd i weld ei chydymaith yn stwffio bar siocled i'w geg.

'Gei di glefyd siwgwr os gari di mlaen fel'na,' dwrdiodd.

Sylwodd hi ddim arno yn bwyta fel hyn o'r blaen. Roedd cynnwrf yn codi awydd arno am bethau melys, mae'n rhaid. Roedd ei geg yn rhy llawn i'w hateb, felly cododd ei ysgwyddau, a stwffio'r gweddill i gyd i mewn iddi.

Cofiodd sut roedd hi'n arfer teimlo yn ei gwmni. Ysai am gael yr hen Faltws yn ôl, ond efallai mai'r rhain oedd ei liwiau go iawn, ystyriodd. Roedd eu cyfnod efo'i gilydd yn dod i ben. Roedd ei warchodaeth ohoni yn dod i ben ac roedd eu gorchwyl o achub ei ffrindiau ar fin dod i ben. Doedd dim raid iddo smalio bellach ei fod yn poeni amdani.

Wedi iddo orffen bwyta, arweiniodd Mabli at y drws cefn. Unwaith y camodd hi i mewn i'r gegin, teimlodd y pwys yn dychwelyd i'w stumog. Pan gyrhaeddodd ddrws y stafell fyw, stopiodd yn ei hunfan.

Roedd o wedi brasgamu o'i blaen yn syth at y drych. Gafaelodd yn y gynfas oedd drosto a'i chwipio ymaith, ac wrth iddo wneud hynny sicrhaodd Mabli na allai hi weld ei hun yn ei wydr.

'Mae'n rhyfedd dy weld di'n tynnu'r gorchudd 'na i ffwrdd yn lle 'i roi o dros y drych,' meddai Mabli, 'fedri di ddim aros i'w guddio fo fel arfer.'

'Wel, Mabli, mae hwn yn ddiwrnod newydd,' atebodd heb edrych arni, dim ond syllu i ganol y drych.

Mentrodd Mabli edrych arno ond trodd i ffwrdd wrth gael

ei hatgoffa nad oedd ganddo adlewyrchiad. Caeodd ei llygaid.

'W'sti be ddeudist ti ddoe pan oeddan ni yn y caffi, pan ddaeth y storm fawr 'na?' ceisiodd Mabli ei atgoffa.

'Mmm?' Wnaeth o ddim symud ei lygaid oddi wrth y drych.

'Dy fod di wedi gweithio allan sut i achub pawb.'

'Do? O ... ia.'

Arhosodd Mabli am ei eglurhad, ond ddaeth o ddim. Oedd o'n aros i'w adlewyrchiad ymddangos yn y drych?

'Wel?'

'O, gei di weld yn y munud,' meddai'n wamal.

Yn ddiarwybod i Mabli gallai ei chydymaith weld Arwyn, Sera a Seimon yn glir yn y drych, yn ogystal â'u Cysgodion Byw, ond ni allai weld y Cysgod Byw pwysicaf un, sef un Mabli.

'Ti wedi bod yn y tŷ 'ma o'r blaen, yn do?' gofynnodd iddi, fel petai'n amau fod ei Chysgod Byw yn y Drychwll o gwbwl. Gallai Mabli fod wedi taflu rhywbeth ato.

'Mi wyddost ti'n iawn 'mod i!' gwaeddodd arno. 'Wyt ti'n dechra colli arni?'

Cilwenodd Cadfri. Nag oedd, doedd o ddim yn colli arni. Roedd o'n gwybod yn union beth roedd o'n ei wneud.

* * *

'Wff!'

Cherddodd Glenda Wyn ddim mor gyflym ers talwm. Rhuthrodd â'i gwynt yn ei dwrn i fyny'r strydoedd culion nes dod at wastadedd o'r diwedd. Cymerodd ennyd fach i ddal ei gwynt. Wrth edrych o'i chwmpas, sylweddolodd mor anaml roedd hi'n dod i'r rhan hon o'r pentref. Gallai, â'i llaw ar ei chalon, ddweud na wyddai pwy oedd yn byw yn hanner y tai erbyn hyn. Edrychodd i gyfeiriad Trem yr Ywen. Yn fanno roedd hen dŷ Jac Percy. Ac i fanno roedd Mabli a'r peth haerllug 'na wedi mynd. Gallai weld canghennau pigog yr hen ywen o flaen y rhes yn codi uwchben y tai o'i chwmpas.

Ar ei ffordd i fyny yno roedd Glenda wedi ffonio Buddug yn yr archifdy, ac wedi cael gwybod y byddai Llinos yn ôl o fewn rhyw hanner awr gan nad oedd y traffig yn rhy ddrwg – a'i bod yn dod â Jac Percy yn ôl efo hi.

Roedd hi'n nesáu at y goeden erbyn hyn a gallai weld talcen 1 Trem yr Ywen yn glir. Wrth iddi gerdded yn nes daeth rhif 6 i'r golwg. Roedd cyrtens pob ffenestr wedi eu cau a golwg hynod o ddi-raen ar bob man: yr ardd, y llwybr, y drws ffrynt, fframiau'r ffenestri, y llechi ar y to – popeth. Trodd i edrych ar yr ywen. Roedd y goeden hon wedi gweld y dref yn tyfu o fod yn ddim ond morfa i fod yn gartref i ddwy fil o bobol, a byddai yno i weld eu claddu nhw i gyd, tybiodd Glenda.

Roedd hi mewn cyfyng gyngor. Oedd hi am gnocio'n gwrtais ar y drws ffrynt, neu sleifio drwy'r cefn? Wrth iddi geisio penderfynu beth i'w wneud, clywodd sŵn yn dod o gyfeiriad yr ywen.

* * *

Gan fod sodlau Mabli'n brifo ei thraed, fe dynnodd ei hesgidiau a'u gadael ger ffrâm y drws oedd rhwng y stafell ganol a'r stafell ffrynt. Wrth eu gosod yno, gwelodd gôt a ches Arwyn wrth y soffa yn y stafell ffrynt, a meddyliodd am ei bòs caredig, meddylgar ... cyferbyniad llwyr i'r dyn a safai o flaen y drych yn anwybyddu Mabli yn llwyr. Dymunai gael yr hen Faltws yn ei ôl. Dim ond efo'r hen Faltws roedd hi'n teimlo'n saff yn y lle 'ma.

'Ydi'r drych 'na'n siarad efo chdi ne rwbath?' gofynnodd iddo ymhen hir a hwyr, ond doedd o ddim fel petai'n ei chlywed, hyd yn oed.

Roedd Mabli wedi dechrau mynd ar ei nerfau. Pam nad oedd ei Chysgod Byw hi'n ymddangos yn y drych? Oedd o wedi darfod am na lwyddodd y drych i'w chipio'n iawn? Yna, gwelodd symudiad, ac o'r diwedd fe ddaeth ei Chysgod Byw drwy'r drws, ei chôt frown yn hongian dros ei hysgwydd. Anelodd yn syth tuag ato. Cilwenodd Cadfri arni, a throdd at Mabli gan glapio'i ddwylo.

'Iawn! Ma' hi'n amser!' Estynnodd ei fraich allan mewn gwahoddiad i Mabli gamu i ganol y llawr.

'Wyt ti'n berffaith siŵr am hyn?' gofynnodd iddo. 'Achos dwi ddim, i fod yn onest.'

'Duwcs, ty'd yn dy flaen,' meddai wrthi'n ddiamynedd, ond wnaeth Mabli ddim symud. Yna, fel petai o wedi sylweddoli rhywbeth, newidiodd ei dôn.

'Ti wedi hen arfer efo'r tŷ 'ma bellach, yn do? Ac wedi arfer efo fi?' Gofynnodd hynny fel petai'n cymryd yn ganiataol mai 'do' fyddai ei hateb.

'Baltws,' meddai Mabli, 'hyd yn oed taswn i'n dod yma bob dydd, tydi rhywun byth yn dod i arfar efo peth fel hyn. A chyn belled ag yr wyt ti yn y cwestiwn, tydw i ddim wedi arfer efo'r agwedd ddi-hid 'ma sy gen ti tuag ata i heddiw. Dwi 'di arfer dy gael di'n poeni amdana i ac yn mynnu 'mod i'n cadw'n glir oddi wrth y drych na.'

'Ia, ma' siŵr fy mod i wedi bod yn anhygoel o warchodol!' atebodd, fel petai'n ei gwawdio. 'Baltws Cardrona!' cyhoeddodd yn nawddoglyd. 'Yr un sy'n gwarchod pawb!'

'Pam wyt ti'n bod yn goc oen?'

'Pam ddaethon ni yma heddiw?'

'I achub Seimon, Sera ac Arwyn,' atebodd hithau.

'Ty'd yn dy flaen 'ta.'

* * *

'Wyddoch chi be ddychrynodd fi am yr hogyn 'na?'

Byddai'n llawer gwell gan Llinos petai Jac yn ymatal rhag trafod Cadfri tra oedd hi'n gyrru, pan oedd yn amhosib iddi recordio'i eiriau.

'Dwn i'm,' atebodd yn swta, gan dynnu allan i basio'r car o'i blaen.

'Faint o bŵer oedd ganddo fo dros bobol yng nghyswllt y Drychwll 'ma.'

'O?'

Aeth Jac yn dawel am ennyd. 'Mi ges i fy nharo'n wael, wyddoch chi, ar ôl iddo fo redeg o'r tŷ 'cw. Mi ddeffris ar lawr y stafell fyw – ar lawr y stafell fyw, cofiwch, fel lledan o flaen y drych felltith 'na, a'r blanced oedd i fod dros y drych drosta i!'

Doedd Llinos ddim yn deall beth oedd arwyddocâd hyn, ond gadawodd iddo barhau â'i stori tra oedd hi'n canolbwyntio ar y lôn o'i blaen.

'Ew, dwi'n cofio agor fy llygaid a theimlo 'fatha tasa 'na lwmpyn mawr o glai wedi bod yn gwasgu arnyn nhw, ac mi oedd gen i gur yn fy mhen, a 'ngheg i'n sych 'fatha'r carped oedd oddi tana i. Mi roedd 'na ddiwrnod cyfan wedi pasio ers i mi lewygu. Er i mi drio a thrio, fedrwn i ddim codi – roedd fy nghorff i fel darn o blwm. Yn y diwedd, mi lwyddais i rowlio tuag at y soffa a'i defnyddio hi i 'nghodi fy hun oddi ar y llawr. Ro'n i fel dyn chwil yn mynd drwadd i'r gegin i nôl diod o ddŵr, ac unwaith i mi ddechra yfed, allwn i ddim stopio, roedd y fath syched arna i. Ar ôl hynny y sylwais i ei fod o wedi gadael ei gôt acw. Mi es i drwy'i phocedi hi, a wyddoch chi be ffeindis i?'

'Be ffeindioch chi, Jac?' gofynnodd heb fath o ddiddordeb.

'Rwbath annaearol o bwysig.'

Ysai Llinos i droi'r radio ymlaen i foddi ei barablu, ond gwyddai y byddai hynny'n rhy amharchus.

'A dyna pryd y gwnes i'r penderfyniad. Rhwng yr hen erthygl ffiaidd yr oedd o wedi 'mygwth i efo hi, a'r hyn oedd wedi digwydd i mi – a'r Drychwll 'na'n goron ar y cwbwl – mi benderfynis i fynd. Rhedeg i ffwrdd. Papur doctor i'r coleg, a gadael y gwaith o sortio 'mhetha fi i Buddug yn yr archifdy, gan ofyn iddi beidio â sôn wrth neb 'mod i wedi mynd. Do'n i ddim isio i neb ddod ar f'ôl i i fusnesu. Wrth gwrs, mi fynnais ei bod hi'n trefnu i'r ddau ddrych gael eu gorchuddio. Dwn i'm wnaeth hi hynny.'

Erbyn hyn, roeddynt yng Nghonwy.

* * *

Gwyddai Mabli fod yn rhaid iddi wynebu'r anochel. Camodd i'r ystafell yn betrusgar. Edrychodd hi ddim ar y drych, ond o gornel ei llygad gallai weld ei hadlewyrchiad yn symud ynddo. Teimlai fel yr oen diarhebol hwnnw'n cael ei arwain i'r lladdfa.

Wyddai Mabli ddim fod dau adlewyrchiad ohoni yn y drych erbyn hyn – yr un gwreiddiol a grëwyd bythefnos ynghynt a'i hadlewyrchiad fel yr oedd heddiw – na'u bod ar fin darganfod ei gilydd. Cerddodd yr adlewyrchiad cyntaf at yr un a oedd newydd ymddangos, ac unwyd y ddwy gyda fflach a dreiddiodd allan o'r dodrefnyn i'r ystafell ffrynt.

Yr eiliad y digwyddodd hynny, teimlodd Mabli boen yn bolltio drwy'i phen. Syrthiodd ar y llawr gan afael yn ei phen â'i dwy law – nid bod hynny'n gwneud unrhyw wahaniaeth i'r boen. Roedd gormod o bwysau ar ei phenglog iddi allu gweiddi, ond gwasgodd ei hwyneb yn sgrech ddistaw.

Yna stopiodd. Llaciodd ei chyhyrau ac anadlu'n drwm.

'Baltws ... be oedd ...' Ni allai siarad.

'Iawn?' oedd yr ymateb tila a gafodd ganddo. Cydiodd Cadfri yn egr yn ei braich er mwyn ei chodi ar ei thraed – roedd ei waith bron ar ben, a'r unig beth roedd angen iddo ei wneud bellach oedd sicrhau fod Mabli yn dringo'r grisiau at y drych arall er mwyn cael ei thraflyncu ganddo. Byddai'r Drychwll wedyn yn ei meddiannu, a châi yntau ei ryddhau.

Roedd Cadfri wedi hen flino ar fod ynghlwm wrth y Drychwll. Roedd o wedi blino ar y Baltws 'na hefyd, yn gweithio yn ei erbyn. Oes ar ôl oes, bu Cadfri'n darganfod a pharatoi eneidiau i'w taflu i'r Drychwll, ond bellach roedd o wedi cael digon. Tarodd fargen yn ddiweddar – petai o'n bwydo'r Drychwll yn 6 Trem yr Ywen ag enaid cryf, byddai'n cael ei ryddhau o'i gyfrifoldeb. Petai'n methu, byddai'n darfod. Gallai deimlo'i hun yn gwanhau bob dydd – dyna pam ei fod yn blysu pethau melys. Roedd o o fewn trwch blewyn i gael yr hyn roedd o eisiau. Fo neu hi. Allai'r ddau ohonyn nhw ddim goroesi.

Ni allai Mabli sefyll. Roedd hi'n rhy wan. Tybiodd iddi glywed cnoc ar y drws, ond na, roedd yn gnocio diddiwedd, rhythmig, fel petai drymiau bongo yn cael eu chwarae y tu allan i'r tŷ. Ceisiodd ei gau allan, ac am ryw hyd, fe dawodd.

'Baltws, be ddigwyddodd i mi?'

'Dwi ddim yn siŵr. Dwi ddim yn arbenigwr, ond mi faswn i'n deud bod yr adlewyrchiad cynta ohonat ti newydd uno efo'r adlewyrchiad sydd newydd gael ei greu ... sy'n gwneud dy endid di i mewn yn fanna yn andros o un cryf.'

'Be? Oeddat ti'n gwybod bod hynna yn mynd i ddigwydd?'

'Oeddwn.'

'Wedyn, ydw i mewn peryg?'

'Bosib iawn,' atebodd yn swta.

'Ond Baltws, ma' raid i ni wneud rwbath i achub y tri arall cyn iddo fo fy nwyn i!'

Roedd Cadfri wedi cael llond bol arni erbyn hyn. Penderfynodd fynd at ei borth o dan yr ywen. Oedd y drws ffrynt yn dal i fod yn stiff, tybed? Trodd y glicied. Oedd, roedd yn gyndyn o ildio ar ôl cymaint o flynyddoedd segur.

Gwyliodd Mabli ei ymdrechion, gan sylwi fod ganddo gysgod, er nad oedd ei adlewyrchiad i'w weld mewn drychau.

'Baltws!' ymbiliodd.

'Ocê, ocê!' meddai, a throi'n anfoddog oddi wrth y drws. 'Mi achubwn ni dy ffrindia di.' Camodd yn ddramatig y tu ôl iddi a'i throi i wynebu'r drych, a gafael yn ei breichiau er mwyn eu codi i fyny.

'Rŵan, ti angen ... canu rwbath!'

'Canu? Canu be?'

'Wel, eu henwau nhw i gyd. Gei di ddechra efo dy gariad. Selwyn.'

'Seimon,' cywirodd Mabli. 'Wyt ti'n trio deud wrtha i mai'r unig beth dwi'n gorfod ei wneud ydi sefyll yn fan hyn a chanu'u henwau nhw, ac mi ddôn nhw allan?'

'Tria fo. Ty'd.' Roedd o ar binnau am iddi ufuddhau er mwyn iddo gael ei g'leuo hi am yr ywen. Gollyngodd freichiau Mabli a throi'n ôl i gyfeiriad y drws ffrynt.

Yn llawn dryswch, cododd Mabli ei breichiau ac anadlu llond ei hysgyfaint o aer. Rhoddai dro arni, er nad oedd wedi'i hargyhoeddi y byddai'r canu'n gweithio.

Un ... dau ... tri.

Cyn iddi gael cyfle i ganu nodyn, clywodd y drws ffrynt yn cael ei daflu'n agored. Trodd rownd, a gwelodd ddau Faltws yn wynebu'i gilydd, un bob ochr i'r drws. Yr un ar y tu allan oedd ei Baltws hi! Gallai weld hynny rŵan ... ond pwy oedd y llall, yr un y treuliodd Mabli'r bore yn ei gwmni?

Camodd y Baltws go iawn dros y trothwy a tharo'r llall yn ei drwyn â'i dalcen nes i hwnnw syrthio fel sachaid o datws i waelod y grisiau.

Ni allai Mabli ddal yn ôl. Roedd y sioc a'r cur yn ei phen yn ormod iddi, a syrthiodd ar ei phengliniau.

'Ro'n i'n gwbod fod 'na rwbath ddim yn iawn!'

Camodd Baltws dros gorff llonydd Cadfri a phenlinio wrth ei hymyl gan ei gwasgu'n dynn, dynn.

'Doedd o ddim 'run fath â chdi,' wylodd i'w frest gan

wlychu ei grys â'i dagrau a'i phoer, 'doedd o ddim 'run fath â chdi.'

Ddywedodd Baltws ddim byd, ond roedd ei waed yn berwi. Feddyliodd o erioed y byddai Cadfri'n cael y gorau arno. Sut yn y byd y bu o mor esgeulus a gadael i'r cythraul ei ddenu at yr ywen y noson cynt, a'i glymu iddi? Treuliodd y noson yno'n gaeth, ac yno y byddai wedi aros petai Glenda Wyn, diolch amdani, ddim wedi ymddangos a'i ryddhau.

'Bỳt chwaral 'dan ni'n galw honna rownd ffor' hyn,' meddai rhywun o'r drws ffrynt i wahanu'r ddau.

Trodd Mabli a Baltws eu pennau i gyfeiriad y llais.

'Glenda!' meddai Mabli, gan fethu credu ei llygaid.

'A chlamp o fỳt chwaral dda oedd hi hefyd,' meddai, gan edrych i lawr ar y swp diymadferth o'i blaen. '*Twins* ydach chi, ia?' gofynnodd i Baltws yn ddiniwed.

Cyn ateb Glenda, edrychodd Baltws ar Mabli er mwyn gwneud yn siŵr ei bod hi'n iawn iddo ei gollwng. Gwenodd arni a gwenodd hithau'n ôl yn wan. Aeth at y drych a'i orchuddio.

'Iawn, Glenda, gewch chi ddod i mewn rŵan,' galwodd arni.

'W, hen le tamp 'te,' meddai honno, gan grychu ei thrwyn. 'Fan hyn oedd Jac Percy'n byw felly.' Trodd at Mabli. 'Wyt ti'n iawn, 'mach i?'

Camodd Baltws atynt cyn i Mabli gael cyfle i ateb.

'Mabli, oni bai am Glenda Wyn mi fasat ti'n dal yng nghrafangau hwnna. Mi ddilynodd hi chi'ch dau o'r caffi, a 'ngweld inna'n gaeth yn yr ywen. Dewch, awn ni drwadd i'r stafall ganol.'

Dechreuodd Mabli ymlacio unwaith yr oedd hi allan o olwg y drych. Eisteddodd hi a Baltws un bob pen i'r soffa a throi i wynebu ei gilydd.

'Dwi'n meddwl mai'r peth gora fysa i ti ofyn yr hyn ti angen ei wybod,' meddai wrthi, 'ac mi dria inna roi atebion i ti.'

Cytunodd Mabli.

'Ew, ia. 'Swn inna'n licio gwbod be sy'n mynd ymlaen hefyd,' ategodd Glenda, yn llawer mwy brwdfrydig na Mabli.

'Wel,' mentrodd Mabli, 'y peth cynta dwi isio'i wybod ydi pwy gythraul ydi hwnna ar lawr yn fanna?'

'Cadfri 'di hwnna 'te,' meddai Glenda cyn i Baltws gael cyfle i ateb. 'Dwi'n 'i gofio fo o gwmpas y lle 'ma o'r blaen, yn hongian o gwmpas Jac Percy druan fel pry rownd cachu.'

'Oes 'na beryg iddo fo ddeffro?' pryderodd Mabli.

'Welist ti'r bỳt gafodd o, do?' holodd Glenda. 'mi aeth o i lawr 'fatha bechdan! Ddeffrith hwnna ddim dan wsnos nesa.' Yna, pan welodd fod Baltws yn aros iddi orffen siarad, penderfynodd gau ei cheg.

'Mae Glenda'n iawn, Cadfri ydi'i enw fo. Cadfri Beiddwy, i roi ei enw llawn iddo fo. Mae Cadfri a finna, fel pawb arall o'n rhywogaeth ni, wedi cael ein creu mewn parau – un ohonan ni yn bodoli er mwyn gwneud drwg, a'r llall yn ceisio gwneud daioni. Tydi o ddim yn ddewis rydan ni yn ei wneud ... fel'na ydan ni. Ar hyd a lled y bydysawd mae rhywogaethau sydd isio teyrnasu, ac eraill sydd jest isio byw eu bywydau yn unol â'r hyn y gall eu planed ei gynnig iddyn nhw. Drwy'r oesau, mae ein rhywogaeth ni wedi ei rhannu reit i lawr y canol, y rhai drwg yn gweithio i'r gormeswyr a'r da dros y rheiny sy'n cael eu gormesu.'

'Fel *Star Wars*?' gofynnodd Glenda.

Edrychodd Baltws mewn penbleth ar Mabli.

Gwenodd Mabli. 'Ia, Glenda, fel *Star Wars*.'

'Wedyn,' aeth Baltws yn ei flaen, 'mae 'na rai gormeswyr, fel y Drychwll, sy'n medru lledu dros fwy o'r bydysawd na gormeswyr eraill. Maen nhw'n dod o bell, bell – rhy bell i'w ddychmygu – ac mae eu dulliau nhw o deithio'n ddychrynllyd o soffistigedig. Does ganddyn nhw ddim iaith, dim corff, hyd yn oed. Fedri di ddim cyffwrdd ynddyn nhw ac maen nhw'n creu mynediad i fydoedd eraill drwy ffurfio dimensiwn newydd.

Does dim rhaid iddyn nhw deithio yno, dim ond creu portal mewn amser a phellter a'i sodro fo ...'

'Mewn drychau.' Gorffennodd Mabli ei frawddeg yn dawel.

'Be? Unrhyw ddrych?' gofynnodd Glenda'n syn.

'Unrhyw beth sy'n dangos adlewyrchiad: metel llyfn, unrhyw fath o hylif llonydd, ond yn well na dim, ia, drych sy'n dangos adlewyrchiad rhywun yn berffaith. Mae'r byd yma wedi rhoi hynny ar blât iddyn nhw.'

'Felly be am Cadfri a chditha? Sut ydach chi'n ffitio i mewn i hyn i gyd?'

'Wel, mi ddechreuodd Cadfri weithio i'r Drychwll yn syth ar ôl i ni gael ein creu, ac mae o wedi bod yn gaeth iddyn nhw ers hynny, er ei fod yntau eu hofn nhw fel pawb arall. Os na wnaiff o ei waith yn iawn, mi all o wynebu'r un ffawd â'r rhai sy'n syrthio i'r Drychwll. Roedd o'n agos at gael ei ryddhau o'u crafangau nhw efo Jac, ond mi gafodd Jac y gorau arno fo a'r Drychwll ugain mlynedd yn ôl. Ers hynny mae Cadfri wedi parhau i sgowtio am eneidiau iddyn nhw mewn galaethau eraill, am nad oedd ganddo fo ddewis.'

'Lle oeddat ti bryd hynny?'

Ochneidiodd Baltws. 'Ar blaned arall yn bell i ffwrdd ... roedd y Drychwll yn dwyn eneidiau yn fanno hefyd, ar ôl ffurfio mewn dau lyn. Mi driais i fy ngorau i ffeindio ffordd o'u hachub nhw, ond mi gollais y frwydr honno yn rhacs.'

'Felly, nid fi ydi'r gynta i chdi fod yn ei hamddiffyn?' gofynnodd Mabli'n siomedig.

'Ti'n un o filoedd, Mabli. Dwi'n medru dod o hyd i'r Drychwll, achub rhai rhag cael eu dwyn, ond am bob un dwi'n ei achub, mae 'na dri arall sy'n diflannu.'

'Wedyn ...?'

'Mi synhwyrais i sgrechiadau o'r Ddaear. Dwi'n gwybod yn reddfol os oes trafferth ar blaned drwy deimlo cydbwysedd yr egni sy'n treiddio ohoni yn cael ei styrbio. Mae'ch planed chi'n cwyno ers canrifoedd felly chymrais i ddim llawer o sylw i ddechrau, ond ar ôl gorffen fy ngwaith ar y blaned arall, sylweddolais fod eich byd chi mewn peryg oddi wrth y Drychwll, ar ben bob dim arall. Roedd hi'n amser i mi ddod yma.'

'Pryd oedd hynny?' gofynnodd Glenda.

'Pan o'n i yma efo Seimon.' Mabli atebodd.

'Ia. Pan ddwynodd y Drychwll dy adlewyrchiad di a Seimon, rhoddodd y Ddaear wich a atseiniodd dros y galaeth. Fesul porthwll, mi gyrhaeddais yr un o dan yr ywen, a dyna pryd y dois i ar dy draws di, yn sefyll yn fanna,' meddai, gan bwyntio at y stafell ffrynt. 'Fu Cadfri ddim yn hir ar f'ôl i. Mi gyrhaeddodd yntau bron i wythnos yn ôl, pan o'n i yma fy hun.'

Cafodd Mabli fflach o atgof.

'Wyddost ti pan ti'n deud dy fod di'n dod yma drwy'r porthwll o dan yr ywen, sut mae hynna'n gweithio?'

Gwenodd Baltws. 'Os ydi'r gallu gen ti i deithio drwy alaethau, y ffordd arferol o fynd a dod ar y Ddaear ydi drwy goed yw andros o hen.'

Pendronodd Mabli. Cofiai fod Seimon wedi gweld goleuadau cyn iddo ddechrau siarad rwtsh a diflannu.

'Oes 'na olau'n fflachio pan wyt ti'n cyrraedd?'

'Oes. Pan fyddwn ni'n cyrraedd neu'n gadael, mae chydig o fflachiadau i'w gweld.'

Tawelodd y tri. Glenda oedd y gyntaf i siarad.

'Sut gafodd Jac Percy y gorau ar Cadfri ugain mlynadd yn ôl, 'ta?'

'Mi roddodd o lun o Cadfri o flaen y Drychwll, gan alluogi'r Drychwll i greu adlewyrchiad ohono. Allai o ddim aros yma wedi hynny – mi ddaru o egluro hynny i mi neithiwr wrth fy nghlymu fi'n sownd yn yr ywen.'

'Ond os oedd y Drychwll wedi cael ei adlewyrchiad o, sut nad oedd hynny'n beryg iddo fo gynna, pan oedd o'n sefyll o flaen y drych efo fi?'

'Achos ar ôl hyn a hyn o amser, all yr adlewyrchiad ddim bodoli yn y Drychwll – mae'n *rhaid* iddo gael y corff a'r enaid hefyd, er mwyn bwydo oddi arno.'

Doedd Glenda Wyn ddim yn siŵr iawn beth i'w wneud o'r holl wybodaeth. Byddai wedi bod gymaint yn haws petai Baltws wedi dweud, 'Ia, fy mrawd i ydi o. Ma'n gas gin i'r uffar.'

'Sgiws mi 'de, Baltws, ond os ydach chi'n dŵad o blaned arall, sut dach chi'n siarad Cymraeg?'

Chwarddodd Baltws. 'Tydw i ddim yn siarad Cymraeg,' meddai, gan edrych ar yr wynebau syn o'i flaen. 'I mi, rydach chi'ch dwy yn siarad fy iaith i, ond i chi dwi'n siarad eich iaith chi. Peidiwch â gofyn sut mae o'n gweithio – wn innau ddim chwaith.'

'Felly, tra mae hwn,' meddai, gan bwyntio at Cadfri ar y llawr, 'yn medru symud o gwmpas, mae unrhyw un ohonan ni mewn peryg o syrthio i mewn i'r peth 'na.'

'Wel ... ydach,' cyfaddefodd Baltws.

'Esgusodwch fi,' meddai Glenda, gan godi a mynd i'r stafell ffrynt, lle roedd Cadfri'n gorwedd.

'Ddeudist ti ddoe dy fod di'n gwbod sut i helpu Seimon, Sera ac Arwyn. Oedd hynny'n wir?' holodd Mabli'n obeithiol.

'Wel,' meddai, 'wedi trio gwneud synnwyr o betha ydw i. Mae'r dderbynneb 'na ffeindist ti wedi bod yn fy mhoeni i ers i mi ei gweld hi.' Fe'i hestynnodd o'i boced a'i hagor. 'Dau ddrych. Mi fues i'n pendroni pam y buasai Jac Percy isio prynu dau ddrych arall ar gyfer y tŷ 'ma. Ro'n i'n meddwl i ddechrau mai isio cael dau o rai bach yn lle'r rhai mawr oedd o gan nad oedd o'n defnyddio'r rhai mawr, ond pan ddois o hyd i un ohonyn nhw ym mag Sera efo huddygl drosto fo, ro'n i'n cymryd ei fod o wedi cael ei gadw yn agos at simdde, os nad i mewn yn y simdde. Roedd hynny'n amheus, felly mi chwiliais i am yr ail un – mi ddois i o hyd iddo fo mewn cwpwrdd yn y llofft.'

Roedd Mabli'n gwrando'n astud, a chofiodd mai hi oedd

wedi dod o hyd i'r drych cyntaf yn y simdde pan ddaeth Seimon i'r tŷ efo hi. Cofiai Mabli fod Sera wedi ei roi yn ei bag hefyd.

'Pam wyt ti'n meddwl fod y drychau bach 'ma'n bwysig?'

'Achos fod rhywun wedi eu cuddio nhw. Pam eu cuddio, yn hytrach na'u gadael nhw o gwmpas y lle?'

Cytunodd Mabli. Roedd cuddio drych mewn corn simdde yn beth rhyfedd iawn i'w wneud. Tybed beth oedd Jac wedi bwriadu ei wneud efo nhw?

'Mae 'na rwbath arall rwyt ti angan ei wybod hefyd,' meddai Baltws. 'Dwi ddim wedi dweud hyn wrthat ti o'r blaen, ond pan dwi'n sbio i mewn i'r drych, mi fedra i weld pawb sydd i mewn ynddo fo.'

Agorodd llygaid Mabli led y pen, ond wnaeth hi ddim holi ymhellach gan ei bod ofn clywed y gwir.

'Pan dwi'n gweld y bobol y tu mewn iddo, weithiau maen nhw'n gafael yn eu clustiau, fel tasan nhw'n clywad rhywbeth byddarol.' Aeth Baltws i'w boced ac estyn y penillion y daeth o hyd iddynt, a'u rhoi i Mabli. Cymerodd hithau amser i'w darllen.

Rhedodd ei llygaid dros y geiriau unwaith, ddwywaith, deirgwaith. Deallai mai parodïau oedd y cerddi, ac roedd yr emynau a barodïwyd yn gyfarwydd iddi. Yna, edrychodd ar y llinellau a soniai am y tabyrddau'n curo.

'Mi glywis i nhw,' meddai Mabli wrth sylweddoli ei bod wedi cael ei chysylltu â'r byd arall y tu mewn i'r drych funudau ynghynt a chlywed y curo – yr union guro a ddisgrifiwyd yn y penillion.

'Felly, y cwestiwn mawr rŵan ydi pwy sgwennodd y penillion, a sut ddaeth y penillion i'n sylw ni ar yr ochr allan i'r Drychwll?' Roedd Baltws yn gofyn y cwestiwn fel petai'n gwybod yr ateb yn barod. 'Roedd rhywun wedi llwyddo i ddianc,' datganodd. 'Mae'r rhain yn benillion sydd wedi cael eu sgwennu gan rywun a gafodd ei ddwyn gan y Drychwll, cyn llwyddo i ddod allan yn fyw. Sut arall fyddai rhywun yn medru disgrifio be sy'n digwydd i mewn ynddo fo?' Yna, pwyntiodd at un o'r emynau. 'Edrycha ar hwn: "Taflwyd fi o'r affwys du". Roedd o wedi cael ei daflu allan.'

Estynnodd ei fraich o dan y soffa yr eisteddai arni ac estyn rhywbeth allan. Y drych dwbwl arall. Rhoddodd y ddau ddrych crwn ar y soffa rhyngddo a Mabli.

'Dwi'n meddwl bod Jac Percy wedi gweithio'r peth allan.'

Cyn iddynt fedru trafod hynny ymhellach, clywsant sŵn rhwygo defnydd o'r ystafell ffrynt, lle'r oedd Glenda. Am eiliad, roedd Mabli'n meddwl bod y Drychwll wedi tarfu arnyn nhw eto, ond na.

'Be dach chi'n wneud, Glenda?'

'Dyna fo,' meddai Glenda wrth orffen clymu traed a breichiau Cadfri â darnau o gyrtens yr ystafell. 'Os na fedar o symud, fedar o ddim gwneud drwg i neb.'

* * *

Rhoddodd Buddug y ffôn i lawr ar alwad hollol annisgwyl gan ei hewythr Percy. Roedd o wedi cynhyrfu'n lân ac yn mynnu ei bod yn mynd i chwilio am un o'i focsys yng nghrombil yr archifdy. Doedd ganddi wir ddim amser i wneud hynny, ond roedd o'n swnio mor daer, fel petai bywyd 'yr hogan bach Mabli 'na', fel y galwodd o hi, mewn peryg mawr. Edrychodd ar ei horiawr. Wel, roedd hi'n tynnu at hanner dydd beth bynnag, felly aeth i gloi'r drws dros ginio.

Aeth i lawr i'r stacs i geisio dod o hyd i'r hyn roedd hi'n chwilio amdano. Dim ond un darn o bapur roedd Percy ei angen, ond o leiaf dywedodd mai mewn llyfryn nodiadau bach glas y byddai hi'n ei ddarganfod. Dylai fod yn dasg reit hawdd.

* * *

'Dwi'n uffar o ddynas pan dwi'n trio, 'chi,' broliodd Glenda Wyn wrth Baltws. Roedd yntau ar fin ateb pan syrthiodd Mabli ar ei phedwar ar lawr eto, gan afael yn ei phen.

'Mabli!' Llamodd tuag ati.

Ond yn union fel y tro cynt, allai Mabli ddim yngan gair – dim hyd yn oed sgrechian, dim ond dal ei phen drwy'r artaith. Pan giliodd y boen llaciodd ei chorff fel doli glwt, a disgynnodd i freichiau Baltws.

'Mabli, fedri di siarad?' gofynnodd iddi. Roedd yn rhaid iddo gael gwybod beth ddigwyddodd iddi.

'Mmm ...'

Gafaelodd Glenda yn ei llaw a'i rhwbio mewn ymgais i geisio'i chysuro, a chodi'i phen i edrych ar Baltws am ryw fath o eglurhad.

'Mae'r drych 'ma'n effeithio arni,' meddai. 'Mae'n rhaid i ni wneud yr hyn sydd raid, a hynny'n fuan.'

'Drymio,' meddai Mabli mewn llais gwan, gwan. Caeodd Baltws ei lygaid mewn anobaith. Roedd y Drychwll hanner ffordd at ei meddiannu hi – am y tro cyntaf, dechreuodd amau ei allu i'w drechu.

'Pam na wnawn ni falu'r blwmin' drych 'ma?' gofynnodd Glenda Wyn yn ddiamynedd.

'Achos mae Seimon, Sera ac Arwyn i mewn ynddo fo,' eglurodd Baltws yn ddiamynedd, 'ac mae'n rhaid i'r Drychwll fod yn un darn er mwyn eu cael nhw allan. *Ar ôl* eu cael nhw allan, mi gawn ni ei falu o'n deilchion.'

Roedd wyneb Glenda yn bictiwr. 'O'n i'n meddwl mai sâl efo ffliw oedd pawb,' meddai'n ddiniwed.

* * *

Gafaelodd Buddug yn y chweched llyfr nodiadau glas oedd yn y bocs gan obeithio mai yn hwnnw roedd y darn papur yr oedd

Jac mor daer am iddi ei ffeindio. Ffliciodd drwyddo – oedd, roedd rhywbeth wedi'i blygu rhwng dwy o'r dalennau. Agorodd y papur, a gwelodd mai am hwn y bu hi'n chwilio. Diolch byth. Darllenodd eiriau cyntaf y pennill.

Mae rhaib yn llond pob lle ...

Tarodd olwg ar ei horiawr. Petai hi'n gadael am hen dŷ Jac rŵan er mwyn rhoi'r papur iddo, gallai ddod yn ôl ar ei hunion i ailagor yr archifdy ar amser.

* * *

Y peth gorau i'w wneud oedd cario Mabli allan o'r tŷ, yn ddigon pell oddi wrth y drych. Wrth i Glenda a Baltws ei gosod yn dyner ar y glaswellt tu allan dechreuodd ddod ati'i hun.

'Be ar wyneb y ddaear sy'n digwydd i mi?'

'Mae gen i ofn fod pŵer y drych 'na'n dechrau cael y gorau arnat ti, Mabli,' cyfaddefodd Baltws. 'Mae'n rhaid i ni weithio ar gael y tri yna'n ôl yn reit fuan neu mi fyddi di wedi ymuno efo nhw.'

'Be sy'n rhaid i ni'i wneud?'

'Mi a' i i nôl y drychau crwn, ac egluro'r cyfan wedyn,' meddai Baltws, gan gamu i mewn i'r tŷ.

Gan nad oedd Glenda yn deall yn iawn beth oedd ystyr nac arwyddocâd dim o'r hyn oedd yn digwydd o'i chwmpas, yr unig beth y gallai ei wneud oedd gafael am Mabli er mwyn gwneud iddi deimlo'n saff.

Daeth Baltws yn ei ôl. 'Y ddau ddrych dwbwl 'ma brynodd Jac Percy ydi'r ateb, Mabli, dwi'n siŵr o hynny ... ond dwi ddim yn siŵr iawn sut.'

Edrychodd Mabli arno mewn dychryn. 'Ond ddeudist ti dy fod ti wedi gweithio'r peth allan!' meddai'n daer.

Edrychodd Baltws ar un o'r drychau a'i agor. Drych dwbwl, fel drych y byddai merch yn ei gario yn ei bag colur ond ei fod yn ugain gwaith yn fwy. Dau ohonynt. Beth yn union oedd raid ei wneud efo nhw? Roedd Mabli yn rhy wan i feddwl yn glir, ac er bod Glenda Wyn yn un dda am weithredu, fyddai hi ddim o help yn datrys y broblem hon. Ysgydwodd ei ben mewn anobaith. Doedd ond un peth i'w wneud, ac roedd hynny fel poeri yn erbyn y gwynt.

'Dim ond un person sy'n gwybod yr ateb, Mabli, ac mae o i mewn yn fanna wedi cael ei glymu.'

* * *

Roedden nhw chwarter awr i ffwrdd o Gaerfai, a bu Jac Percy yn dawel wrth ochr Llinos ers iddo siarad â Buddug ar y ffôn. Ai dod yn ôl i'w gynefin oedd wedi achosi iddo fod mor dawedog? Doedd hi ddim am ddechrau sgwrs rhag ofn iddo ddechrau mwydro am y drych eto.

* * *

Sblash!

Glenda Wyn daflodd y dŵr budr o'r gegin dros Cadfri, a safodd Baltws drosto, yn barod i ddelio ag unrhyw symudiadau sydyn ganddo.

Dadebrodd yn reit gyflym. Poerodd y dŵr o'i geg ac ysgwyd ei ben i waredu'r diferion oddi ar ei wallt.

'Aaaaaa!' gwaeddodd, a chafodd beltan gan Baltws ar draws ei wyneb.

'Mae honna am fy nghlymu fi neithiwr, ac mae hon,' meddai, gan ei daro eto, 'am be wnest ti i Mabli.' Ceisiodd Cadfri blygu ei ben er mwyn sychu ei wyneb gwlyb yn ei ysgwydd. 'Rŵan, os nad wyt ti isio diodda mwy, mae'n well i ti egluro sut mae cael ffrindiau Mabli yn ôl.'

Cododd Cadfri ar ei eistedd, gan flasu'r gwaed a lifodd i'w geg o'i drwyn. Poerodd ar lawr ger esgidiau Baltws.

Camodd Baltws ato'n fygythiol.

'Ti'n desbret, ma' raid,' chwarddodd Cadfri o'r diwedd. 'Mi wyddost ti be ydi fy ngwaith i efo'r Drychwll, felly dwi ddim yn debygol o dy helpu di i dynnu eneidiau allan ohono fo, nac'dw?'

Glaniodd y beltan nesaf ar ei foch dde unwaith eto, a gollyngodd Cadfri ei hun yn ôl i'r llawr mewn poen.

'Mi allwn ni gario 'mlaen fel hyn am oriau os leci di,' rhybuddiodd Baltws.

'Ac os wyt ti isio i mi glymu'r rhwymau 'na'n dynnach, mi wna i,' ategodd Glenda Wyn.

Edrychodd Cadfri arni'n ddryslyd. Beth oedd y ddynes o'r caffi'n ei wneud yma?

'O ydw, dwi'n medru gwneud mwy na syrfio dŵr poeth a siwgwr i bobol!' broliodd.

Taflodd Cadfri olwg nerfus ar Baltws.

'Dŵr poeth a siwgwr? Wyt ti'n sâl?' gofynnodd Baltws iddo, ond ni chafodd ateb. Camodd tuag at Cadfri a phlygu ar lawr o'i flaen. 'Cadfri, os wyt ti'n darfod, pam na wnei di un tro da cyn mynd?'

'Os rho' i Mabli i'r Drychwll, mi fydda i'n rhydd o fy nghyfrifoldeb iddyn nhw, ac mi ga i fy ngwella.'

Cofiodd Glenda Wyn yn sydyn am Mabli ac aeth allan i weld a oedd hi'n iawn, ond doedd hi ddim yno. Edrychodd i fyny ac i lawr y stryd ond ni allai ei gweld. Galwodd ar Baltws.

Gan ddal i gadw llygad ar Cadfri, aeth Baltws at y drws. 'Cer i chwilio amdani,' sibrydodd wrth Glenda, cyn mynd yn ôl i'r tŷ a chau'r drws ffrynt ar ei ôl. Safodd yng ngwaelod y grisiau gan wrando am unrhyw sŵn o'r llofft – doedd dim, ond dechreuodd ddringo'r grisiau rhag ofn bod Mabli wedi mynd i fyny yno heb iddyn nhw ei gweld.

Pan sylweddolodd ei fod wedi cael ei adael ar ei ben ei hun, cododd Cadfri ar ei ochr a cheisio ei orau i symud er gwaetha'r rhwymau oedd am ei ddwylo a'i draed. Closiodd at y drych, a chan blygu yn ei flaen cafodd afael yn y blanced â'i ddannedd er mwyn ei thynnu i lawr.

Nawr, gallai weld pawb oedd i mewn yn y drych. Tri ffrind Mabli a'u tri endid, a Chysgod Byw Mabli yn loyw yn eu plith. Roedd hi'n agos at ffrwydro – petai o ond yn medru cael Mabli i fyny'r grisiau, gallai'r Drychwll wneud y gwaith i gyd wedyn. Ond byddai'n rhaid cael gwared o Baltws a dynes y caffi yn gyntaf. Cafodd syniad.

Llwyddodd Cadfri i godi ar ei draed a neidio'n afrosgo at waelod y grisiau.

'Baltws!' gwaeddodd ar ei efaill, a daeth Baltws i ben y grisiau.

'Be ti isio?'

'Ty'd i lawr i fama am funud, mae 'na rwbath mae'n rhaid i ti ei weld.'

Ufuddhaodd Baltws, gan gerdded heibio Cadfri i'r stafell ffrynt wrth weld hwnnw'n gwneud arwydd iddo edrych ar y drych. Gwylltiodd o weld bod y gorchudd wedi'i dynnu eto.

'Cyn i chdi wneud hynna, drycha arnyn nhw,' meddai Cadfri wrtho.

Sylwodd Baltws yntau fod endid Mabli yn gloywi fwyfwy.

'Ti'n gwbod cystal â finna be mae hynna'n feddwl,' meddai Cadfri, bron yn fuddugoliaethus.

'Yndw, mae hi ar fin ffrwydro – da iawn!'

'Ond,' torrodd Cadfri ar ei draws, 'os ydi hi'n ffrwydro i mewn yn fanna, mae'r Mabli go iawn mewn peryg hefyd. Mi wyddost ti mai methu gwneud heb Mabli mae'r Cysgod Byw.'

'Ia,' cytunodd Baltws, 'a dim fel arall rownd. Pan gaiff ei hendid ei ddinistrio, mi fydd Mabli'n rhydd.'

'Baltws!' Daeth llais Glenda Wyn o'r stafell ganol. 'Dwi wedi dod o hyd i Mabli, ac mae hi mewn poen eto.'

Taflodd Baltws y gynfas dros y drych a brasgamu tuag atynt. Gorau po gyntaf i endid Mabli chwalu'n yfflon yn y drych. Mi fyddai Mabli fel newydd wedyn, cyn belled â'i bod yn cadw'n glir oddi wrth y Drychwll.

'Sgin ti fawr o amser, Baltws!' rhybuddiodd Cadfri'n ddirmygus wrth symud tuag at y drws ffrynt. 'Ti wedi anghofio, dwyt? Os ydi Cysgod Byw Mabli yn ffrwydro i mewn yn fanna, yna mae popeth arall yn ffrwydro efo hi hefyd,' chwarddodd yn sbeitlyd.

Wyddai Baltws ddim a oedd yn dweud y gwir ai peidio. Ceisiodd gofio achosion eraill o hynny'n digwydd, ond rhwng ei bryder am Mabli a'i gasineb tuag at Cadfri, ni allai feddwl yn iawn.

'Yna, gei di ddweud ta- ta wrth bob un y mae'r Drychwll wedi'i ddwyn, a hynny am byth. Mi fysa'n well i ti adael i Mabli fynd i fyny'r grisiau rŵan, a thrio'i hachub hi wedyn. Yna, mi fydd pawb yn hapus. Ga i fynd adra, mi gaiff Mabli a'i ffrindiau ddod yn ôl i'r byd yma heb fawr o boen i Mabli ei hun, ac mi gei di ... wneud beth bynnag leci di. Pawb yn hapus. Hapus braf. Hapus, hapus, hapus,' canodd.

'Reit!' sgyrnygodd Glenda Wyn, 'mae o'n 'i chael hi rŵan 'de!' Cododd, ond cyn iddi gael cyfle i gyrraedd gwaelod y grisiau agorodd y drws ffrynt gyda digon o rym i luchio Cadfri yn erbyn y wal. Tarodd ei ben, ac am yr eilwaith y prynhawn hwnnw, syrthiodd yn anymwybodol ar lawr.

Edrychodd Glenda ar Cadfri'n disgyn, wedyn ar yr un a safai yn y drws. Rhoddodd hynny fwy o sioc iddi na dim arall.

'Jac Percy?' gofynnodd mewn syndod pur.

'Mi fedrwn i weld ei hen ben gwirion o drwy'r drws,' meddai Jac, gan syllu ar ei arch-elyn ar lawr. Ond wrth weld Cadfri arall yn sefyll yn ei dŷ, lledodd llygaid Jac mewn arswyd.

'O, peidiwch â phoeni amdano fo,' meddai Glenda wrth sylwi ar ei ymateb. 'Tydi o ddim 'run fath â hwn. Fel mae'n digwydd, mae o'n hollol groes iddo fo. Beth bynnag mae *hwn* yn ei wneud,' meddai, gan rhoi hergwd i Cadfri efo'i throed, 'mae Baltws yn ei ddad-wneud o.'

'Mae hi'n stori rhy hir i'w hadrodd rŵan, Jac,' meddai Baltws, 'ond mi wna i egluro'r cyfan i chi ryw dro. Rydan ni mewn cyfyng gyngor yma, braidd, ac mae fy ffrind i mewn perygl,' meddai gan droi i edrych ar Mabli, oedd wedi ei ddilyn at y drws.

'Ddaeth Buddug yma?' gofynnodd Llinos o'r tu ôl i Jac, wrth i'r hen ddyn gamu'n ôl a throi i syllu ar yr ywen. Sylwodd ar Cadfri yn llanast ar lawr, ac yna gwelodd Baltws. 'O!' meddai, mewn penbleth llwyr. Nid ar drywydd stori oedd Mabli felly?

'Reit ta, be 'dan ni'n mynd i'w wneud i helpu Mabli?' gofynnodd Glenda. 'Mae'r gryduras fach mewn poen, ac os na sortiwn ni betha'n reit sydyn, o be dwi'n ddallt, mi fydd Arwyn, Seimon a Sera yn cael eu chwythu i ebargofiant yn y drych 'na.'

Llanwyd wyneb Llinos â dryswch pur. Oedd Jac wedi bod yn deud y gwir wrthi ar hyd y siwrne? Neu a oedd Glenda Wyn wedi llyncu'r un nonsens â fo?

Wrth i Buddug barcio'i char yn yr encil gerllaw Trem yr Ywen, gwelodd Jac yn syllu i fyny ar yr hen ywen o flaen y tai.

'Helô, Yncl Percy.' Roedd yn deimlad rhyfedd i Buddug ei weld yn ôl yng Nghaerfai ar ôl yr holl flynyddoedd.

'Ddoist ti â fo?' gofynnodd, heb ei chyfarch. 'Mae 'na hogan fach mewn peryg yn fama.'

Estynnodd y papur i Jac, ac wedi iddo sicrhau ei fod yn gafael yn y ddogfen gywir, gwenodd.

'Da'r hogan. Llinos,' galwodd ar ei gyd-deithiwr, 'ewch â hwn i beth bynnag ydi'i enw fo i mewn yn fanna.' Erbyn hyn roedd Baltws ei hun yn sefyll yn y drws. 'Ddaethoch chi o hyd i'r drychau crynion?' gofynnodd Jac iddo.

'Do, ond dwi ddim yn siŵr be i'w wneud efo nhw.'

'Darllenwch rheina,' gorchmynnodd Jac, 'ac mi ddyliach chi fedru gwneud yn iawn.'

Cymerodd Baltws y papur gan Llinos a mynd i eistedd ar y soffa yn y stafell ffrynt i'w ddarllen yn dawel. Dilynodd Glenda Wyn, Buddug a Llinos ef yn chwilfrydig a sefyll fel triawd cerdd dant uwch ei ben. Heb ddweud gair wrthyn nhw, cododd Baltws a mynd i'r stafell ganol at Mabli. Unwaith yn rhagor, dilynwyd ef gan y merched, a rhoddodd Glenda Wyn fraich warchodol am Mabli.

'Mae angen i rywun gadw golwg ar hwnna,' rhybuddiodd Baltws, gan amneidio i gyfeiriad Cadfri.

''Sdim isio i chi boeni am hwn, mi gadwa i lygad arno fo,' meddai llais Jac o'r drws ffrynt.

Aeth Baltws ar ei gwrcwd o flaen Mabli, ac wedi gwneud yn siŵr ei bod yn gwrando arno, adroddodd yr hyn oedd ar y papur.

Mae rhaib yn llond pob lle,
Presennol ymhob man
Ef dafla maes o'r lle
Bob un o enaid gwan.
Wrth law o hyd i ddwyn rhai cry',
Nesáu at ddim fu'n dda i mi.

Cododd Baltws ei ben i edrych ar bawb ar ôl gorffen. Doedd o ddim yn sicr o ystyr y geiriau, a doedd gan Mabli ddim egni i feddwl, felly ar Jac y syrthiodd y cyfrifoldeb o egluro.

'Mi syrthiodd Emrys i'r Drychwll, ond taflwyd o allan drachefn,' gwaeddodd yr hen ŵr o'r drws ffrynt. 'Doedd y Drychwll ddim isio'i gael o yno, gan nad oedd ei feddwl o'n gweithio fel rhai pobol eraill. Dyna gamgymeriad mawr y

Drychwll, achos er mor wahanol oedd yr hen Emrys, roedd y gallu ganddo fo i weithio allan yn union sut roedd cael pobol yn ôl. Yn anffodus, allai o ddim cyfathrebu'r hyn roedd o'n ei wybod i'w deulu, dim ond sgwennu pethau fel hyn, a gwneud lluniau.'

'Ond mae 'na fwy na hynna wedi'i sgwennu yma,' meddai Baltws, gan ddarllen drachefn.

Rhaid cynnal twnnel hir
Er mwyn it wanio'r fall,
Arweinia'r meidrol o'r
Naill Ddrychwll at y llall
Ac wedi dychwel enaid pêr
Dymchwela'r Drychwll rif y sêr.

Aeth pawb yn dawel, ac edrychodd Mabli a Baltws ar ei gilydd yn ansicr.

'Fedrwch chi'i ddallt o?' gwaeddodd Jac arnynt.

'Ddim yn iawn, Jac,' atebodd Baltws.

'Mi fues i'n pendroni a phendroni dros y pennill yna. Dim ond pwt byr ydi o, ond roedd yn rhaid i mi ei ddeall yn iawn er mwyn difa'r melltith peth.'

Edrychodd pawb o'u cwmpas mewn tawelwch disgwylgar.

'Wel, mae'r ddau ddrych mawr yma'n barod, a fedrwn ni ddim eu symud nhw. Mae angen creu twnnel o un drych mawr i'r llall. Rŵan, nid twnnel dan ddaear mae'r pennill yn ei olygu, ond twnnel o adlewyrchiad.'

Roedd pen Baltws yn nodio mewn dealltwriaeth ond roedd ar bawb arall angen mwy o eglurhad.

'Dyna pam y prynis i ddau ddrych arall – rhai dwbl. Roedd yn *rhaid* iddyn nhw fod yn ddrychau dwbwl. Mae angen i rywun fynd i sefyll i waelod y grisiau gan afael yn un drych bach, gan ei ddal gyferbyn â'r drych mawr yr ystafell ffrynt fel eu bod nhw'n gweld ei gilydd. Hefyd, mae angen i rywun sefyll ar ben y landing gan afael yn y drych bach arall, a'i ddal o gyferbyn â'r drych mawr yn y llofft fel bod y rheiny'n gweld ei gilydd hefyd. Ond be sy'n allweddol ydi bod y ddau ddrych bach yn gallu gweld ei gilydd o dop y grisiau i'w waelod. Felly, mae 'na dwnnel hir o adlewyrchiad yn ffurfio o'r un mawr yn y gwaelod i'r un mawr yn y top. O ganlyniad i hynny, gall y rheiny sy'n gaeth yn y drych mawr isaf ddilyn y twnnel i'r un uchaf, a dod allan. Ar ôl i ni achub y rhai sydd ar goll gallwn chwalu'r ddau Ddrychwll yn deilchion fel na fedar o wneud unrhyw ddrwg byth eto.'

* * *

Roedd coesau Mabli yn gwegian. Safai ar ben y landin yn y tŷ teras gwag â dim ond ei dewrder yn ei chynnal. Yn ei dwylo crynedig daliai un o'r drychau bach – roedd ar gau ond roedd Mabli yn barod i'w agor pan ddeuai'r eiliad dyngedfennol. Edrychodd arno, a gweld ôl ei bysedd chwyslyd ar y pren tywyll.

Safai gyferbyn â drws agored y llofft ffrynt lle gallai weld y drych mawr, hirgrwn a safai yng nghanol yr ystafell. Allai hi ddim gweld fawr ddim heblaw'r ffrâm loywddu gan fod yr ywen y tu allan yn taflu ei chysgod dros y tŷ.

Ar waelod y grisiau, safai'r cyfaill rhyfeddaf i Mabli ei gyfarfod erioed, er nad oedd yn ei nabod o gwbl mewn gwirionedd. Yn ei ddwylo roedd cas crwn, pren, yn union yr un fath â'r un oedd gan Mabli. Edrychodd ei chyfaill arni.

'Barod?' gofynnodd. Arweiniodd y pythefnos ddiwethaf at yr eiliad hon.

'Barod,' atebodd drwy wefusau sych.

Cododd Baltws Cardrona ei ddrych dwbwl at ei frest a'i agor ar yr un ongl ag un Mabli. Dyma ni. Roedd hi'n amser dwyn pawb yn ôl. Caeodd Mabli ei llygaid ac anadlu'n ddwfn.

'Gwrandewch, bawb,' gwaeddodd Baltws dros y tŷ, 'pan dwi'n gweiddi "rŵan", dwi isio i bob un ohonoch chi weiddi'r enw rydach chi wedi penderfynu ei weiddi, a pheidio â stopio tan y bydd pob enaid coll wedi dod allan o'r drych yn y llofft. Glenda Wyn a Llinos – byddwch yn barod i'w tynnu nhw allan ohono fo fesul un. Wedyn, pan fydd pawb wedi dod allan dwi am i Glenda dorri'r drych uchaf efo'r rhaw. Buddug, torrwch chi'r drych isaf efo'r fwyell.'

'Iawn,' atebodd pawb.

'Jac, ydach chi'n iawn yn fanna?'

Roedd Jac yn dal i gadw llygad barcud ar Cadfri, yn barod i roi cic egr iddo yn ei wyneb petai'n deffro.

'Iawn!' meddai hwnnw'n bendant.

'Mabli,' galwodd Baltws i fyny'r grisiau, 'mae beth bynnag sydd i mewn yn y Drychwll yn mynd i fod yn anodd i'w drechu, mi wyddon ni gymaint â hynny. Mae'n rhaid i ti fod yn gryf a gwrthsefyll beth bynnag gaiff ei hyrddio atat ti.'

Nodiodd Mabli.

'Iawn 'ta,' cadarnhaodd Baltws, 'pan fydd y ddau ohonan ni'n medru gweld y drychau mawr yn nrych y naill a'r llall, mi fydd y twnnel yn gyflawn, a'r cysylltiad rhwng y byd hwn a'r dimensiwn arall wedi ffurfio. Cofiwch, gwaeddwch!'

Cododd Baltws ei ddrych i wynebu un Mabli, a gwnaeth Mabli yr un fath. Roedd y twnnel wedi'i ffurfio.

Llanwodd Mabli ei hysgyfaint gydag anadl hir. 'Seraaaaaaa!'

Unwaith y dechreuodd Mabli weiddi daeth bonllefau pawb yn llanast o bob cyfeiriad.

'Arwyyyyyyn!'

'Seimoooooon!'

'Seraaaaaaa!'

'Ty'd i gyfeiriad fy llais i, Sera! Mabli sy 'ma! Ty'd i gyfeiriad fy llais i!'

Udodd Glenda Wyn enw Arwyn dros y lle fel rhyw fleiddast wallgof. 'Arwwyyyyyn! Ty'd at fy llais i!'

'Fedri di weld rwbath, Mabli?' gofynnodd Baltws iddi.

Ysgydwodd Mabli ei phen. Yna, uwchben yr holl floeddio, gallai glywed sŵn taro cyfarwydd. Sŵn nad oedd am ei glywed o gwbwl. Penderfynodd ddal i weiddi ar Sera er mwyn boddi'r curiadau.

'Seraaaaaaa!' bloeddiodd, 'ty'd at fy llais i, ty'd i gyfeiriad fy llais i, ty'd rŵan i ti gael dy achub ...' Methodd â gweiddi mwy.

Gwelai Baltws a Glenda Wyn fod Mabli mewn poen ar ben y grisiau. Camodd Glenda ar hyd y landin tuag at Mabli a chymryd y drych ganddi er mwyn dal y twnnel yn ei le, a phan wnaeth hynny gollyngodd Mabli ei hun ar y gris uchaf gan afael yn ei phen. Yna, sylwodd Buddug ar olau'n dod o gyfeiriad y drych mawr isaf.

'Mae 'na rwbath yn digwydd yn fama!' gwaeddodd.

'Daliwch i weiddi!' rhuodd Jac arnyn nhw.

'Arwwwwyyyyn!'

'Seraaaaaaaa!'

'Seimooooooon!'

Yna, daeth y golau'n gryfach o lawer a dechreuodd Mabli sgrechian nerth esgyrn ei phen. Taflodd ei hun ar y landin a churo'i phen poenus yn erbyn y llawr. Yna, dechreuodd ymlwybro fel neidr tuag at y llofft i gyfeiriad y drych mawr.

Sylweddolodd Baltws beth oedd yn digwydd. Drwy greu twnnel o'r Drychwll i'r tŷ, roedd twnnel o'r tŷ i'r Drychwll wedi agor hefyd, ac roedd Mabli'n cael ei thynnu tuag ato. Daeth y golau'n gryfach fyth, gan dasgu allan o'r pedwar drych. Un ai roedd endid Mabli ar fin ffrwydro gan fynd â phawb oedd yn y drych efo fo, neu roedd Mabli ar fin diflannu.

'Llinos!' gwaeddodd Baltws, 'Paid â gadael i Mabli fynd yn nes at y drych! Cadwa hi'n llonydd!'

Roedd Llinos yn falch o gael symud oddi wrth y twll dychrynllyd, yng ngoleuni'r hyn a ddywedodd Baltws amdano. Rhuthrodd at Mabli, oedd bellach wedi cyrraedd drws y llofft ffrynt, ac eistedd ar ei phen. Roedd hi'n andros o anodd i'w chadw rhag gwingo, ac roedd ei hoernadau'n ddigon i yrru iasau i lawr eu cefnau nhw i gyd.

'Llinos!' gwaeddodd Baltws, 'Mae'n ddrwg gen i orfod gofyn i ti, ond mi fydd yn rhaid i ti roi dwrn i Mabli i'w chadw'n ddistaw!'

Doedd dim rhaid iddo ofyn ddwywaith. Cododd Llinos ei dwrn i'r awyr a'i blannu yng nghanol wyneb Mabli â grym atgasedd saith mlynedd. Teimlodd foddhad llwyr wrth wneud, er bod ei migyrnau'n canu. Tawodd y sgrechian.

Roedd y golau'n cryfhau gyda phob eiliad nes y bu'n rhaid i bawb heblaw Baltws gau eu llygaid, hyd yn oed Glenda Wyn, oedd yn ceisio dal y drych bach yn llonydd er mwyn cadw'r twnnel yn agored.

Edrychodd Llinos i lawr ar Mabli i wneud yn siŵr ei bod yn cysgu, ond edrychai Mabli'n syth arni. Roedd canhwyllau ei llygaid yn annaturiol o fawr. Yna, agorodd ei cheg i siarad ond nid ei llais hi ddaeth allan.

'Ombran idha Dricil embopng ssssscapaaaaaa,' meddai, gan syllu ar Llinos â'i llygaid gweigion.

Roedd Llinos eisiau symud, ond allai hi ddim. Roedd hi wedi rhewi. Yna, daeth llais Baltws o waelod y grisiau.

'Rho dy ddwylo dros ei llygaid hi!'

Llwyddodd Llinos i wneud hynny, a gollyngodd Mabli ei phen yn ôl ar y llawr yn llonydd.

Pylodd y golau llachar.

'Dwi'n gweld rwbath yn symud!' llefodd Glenda Wyn.

Edrychodd Baltws ar y drychau fesul un, a gallai weld braich rhywun yn ymddangos, yna corff ac wyneb. Arwyn – yr olaf i gael ei ddwyn. Dim ond gobeithio fod Sera a Seimon yn ddigon cryf i fedru dianc hefyd.

Daeth y ddelwedd ohono yn fwy a chliriach, yn gyntaf yn y drych mawr yn y stafell fyw, wedyn yn nrych dwbwl Baltws yng ngwaelod y grisiau. Yna, gwelodd Baltws ei wyneb yn nrych dwbwl Llinos ar ben y grisiau. Roedd ar fin cyrraedd y drych mawr yn y llofft.

'Llinos, dos i'w helpu o!' gwaeddodd Baltws.

Ufuddhaodd Llinos, gan godi oddi ar gorff llipa Mabli. Safodd wrth y drych mawr yng nghanol y llofft a dal ei breichiau allan tuag ato. Rhoddodd Arwyn ei freichiau allan hefyd, ac wrth iddo ddod yn nes gafaelodd Llinos yn ei ddwylo a'i dynnu'n ddiseremoni ar lawr y llofft. Gorweddodd y ddau ar eu hyd am ennyd.

'Yfwch hwn, Arwyn,' gorchmynnodd gan agor y botel ddŵr oedd gerllaw.

Edrychodd Arwyn o'i gwmpas yn ddryslyd. 'O lle ddoist ti? Dim ond Mabli oedd yma efo fi funud yn ôl.'

Roedd pawb wedi tawelu rhywfaint erbyn hyn, yn awyddus i weld sut oedd Arwyn. felly gwaeddodd Jac arnyn nhw.

'Peidiwch â rhoi'r gorau iddi rŵan, er mwyn dyn!'

Bloeddiodd pawb ar draws ei gilydd drachefn.

'Seimooooooooon!'

'Seraaaaaaaa! Ty'd i gyfeiriad y llais!'

'Ty'd i gyfeiriad y gweiddi, mae Arwyn wedi dod yn barod!'

'Ty'd Seimoooooooon! Ty'd Seraaaaaaa!'

'Dwi'n gweld rwbath!' galwodd Buddug.

Trodd pawb a allai i edrych ar y drychau. Oedd, roedd symudiad i'w weld yn y pellter unwaith eto – Seimon a Sera, yn rhedeg gan afael yn nwylo'i gilydd. Gwnaethant hwythau yr un peth ag Arwyn, sef ymddangos yn y drych isaf yn gyntaf, cyn diflannu a symud i fyny o un drych i'r llall.

'Llinos! Bydda'n barod! Mae 'na ddau dro yma!' gwaeddodd Baltws. Yna, gwelodd fod Buddug yn edrych yn amheus ar y drych mawr. Ceisiodd gael cipolwg ar yr hyn roedd hi'n ei weld.

'Llinos!' bloeddiodd Buddug, 'brysia i gael y ddau allan ... mae 'na rwbath yn dod ar eu holau nhw!'

Safodd Llinos reit gyferbyn â'r drych yn y llofft, yn barod ar gyfer ymddangosiad Seimon a Sera.

Yn y drych isaf, roedd bodau niwlog yr olwg yn dod i gyfeiriad Buddug. Roedd tri ohonynt: Cysgodion Byw Arwyn, Seimon a Sera. Daethant yn frawychus o agos at ei hwyneb, yna diflannu. Golygai hynny eu bod ar y ffordd i'r drych uchaf. Gwelodd Buddug eu ffurfiau yn mynd drwy ddrych Baltws yng ngwaelod y grisiau.

'Llinos, mae'n rhaid i ti frysio – ydyn nhw allan bellach?'

'Nac'dyn!'

Roedd y tri Chysgod Byw wedi cyrraedd drych Glenda Wyn erbyn hyn, ar ben y grisiau. Cyrhaeddodd Seimon a Sera ddrych Llinos o'r diwedd, a rhoddodd ei dwy fraich allan i'w derbyn. Gafaelodd dwy law oer yn ei rhai hi, a thynnodd Llinos â'i holl nerth. Glaniodd y tri yn swp ar lawr.

'Maen nhw allan!' gwaeddodd, ond cyn y gallai hi a Glenda Wyn falu'r drych mawr uchaf gallai weld bod y Cysgodion Byw wedi cyrraedd y drych o'u blaenau.

Cyn cael caniatâd Baltws – a gydag anogaeth Jac, oedd yn benderfynol o weld y drych felltith yn cael ei chwalu'n deilchion – tarodd Buddug wyneb y drych isaf gyda'r fwyell. Yr eiliad y clywodd Llinos y glec, gwelodd y Cysgodion Byw â'u cegau tywyll ar agor, yn cael eu tynnu'n ôl fel petaent ar ddarn o lastig.

Gwelodd Llinos ei chyfle. Gafaelodd yn y rhaw a chwalu'r ail ddrych mawr yn deilchion. Atseiniodd yr ergydion dros y tŷ wrth i'r pren a'r gwydr chwalu'n yfflon.

Yna, tawelwch. Caeodd Glenda ei drych dwbwl yn glep, a gwnaeth Baltws yr un peth. Doedd dim i'w glywed heblaw anadlu trwm o bob cyfeiriad. Edrychodd Baltws ar y drych isaf – doedd dim ar ôl ohono ond ffrâm wag.

Yn ddiarwybod i bawb, roedd Cadfri wedi llwyddo i ddatod clymau ei rwymau, ac wedi gweld ei gyfle. Cododd tra oedd Jac yn gwylio Buddug yn malu'r drych, a chwyrlïo allan drwy ddrws ffrynt y tŷ. Gwibiodd i lawr y llwybr a neidio dros y wal i'r cae. Am y tro olaf, gosododd ei hun yng ngheudod boncyff yr ywen ac wedi pum fflach o'i chrombil, diflannodd.

Cyrhaeddodd Jac y drws mewn pryd i weld Cadfri'n diflannu. Yna, fel petai natur wedi chwistrellu'r ywen â bywyd newydd, dychwelodd y gwyrddni yn ôl i'w chorff crin. Ymestynnodd ei changhennau allan a thasgodd brigau ffres i bob cyfeiriad. Gwyddai Jac fod y melltith oedd arni wedi mynd, o'r diwedd.

* * *

Buddug oedd y gyntaf i symud. Gafaelodd yn y gynfas fu'n gorchuddio'r drych a'i thaflu dros y darnau gwydr ar lawr.

Gwibiodd Baltws i fyny'r grisiau at Mabli, oedd yn dal i orwedd yn llonydd ar lawr. Agorodd un o'i hamrannau â'i fawd – roedd ei llygad yn edrych yn normal, a theimlodd ei phwls. Roedd ei chalon yn curo'n iach.

'Ti'n iawn?' gofynnodd iddi wrth ei gweld yn dadebru.

'Ydw,' meddai hithau gan edrych o'i chwmpas, 'tshampion!'

* * *

Mewn cae ar gyrion tref yng ngogledd Cymru saif un o goed yw hynaf ynysoedd Prydain. Nid ar dir cysegredig, nid mewn mynwent yn gwarchod eneidiau'r ymadawedig, nac ychwaith yn pesgi ar eu cyrff. Mae hon ar ei phen ei hun, dan warchodaeth dila hen reilins rhydlyd, sigledig.

'Welis i erioed mohoni'n edrych mor iach,' meddai Jac gan ysgwyd ei ben wrth gerdded o'i chwmpas. Nid oedd un brigyn brown i'w weld – dim un. 'Mi fues i'n meddwl ei bod hi'n marw o haint, wyddoch chi.'

'Mi *oedd* hi'n marw o haint, Jac,' eglurodd Baltws.

Dechreuodd Jac feddwl. Roedd haint yn gallu lladd coed yw, ond roedd y sefyllfa hon yn wahanol. Safai'r goeden hon gyferbyn a thŷ a welodd ddigwyddiadau dirdynnol. Dechreuodd gnoi ei wefl wrth bendroni.

'Be dach *chi*'n feddwl, Baltws?' gofynnodd Buddug.

'Y Drychwll oedd haint yr ywen,' meddai'n bendant gan edrych ar Jac. 'Meddyliwch chi pa mor hen ydi hon, a lle mae ei gwreiddiau hi'n cyrraedd.'

'Ydach chi'n meddwl fod y gwreiddiau'n cyrraedd o dan y Drychwll a bod hwnnw'n gwenwyno'i ffrwythlondeb hi?' gofynnodd Llinos.

Wnaeth neb ei hateb. Daeth awel i dorri ar y distawrwydd ac ysgwyd canghennau'r ywen a'i haeron coch. Roedd Baltws yn gwybod beth oedd yr ateb, ond gadawodd i Jac ddweud ei ddweud. Fo oedd yr awdurdod arni, wedi'r cyfan.

'Dwyn ei phŵer hi oedd y Drychwll, ac o ganlyniad, dwyn ei ffrwythlondeb hi,' meddai Jac o'r diwedd, gan daro'r hoelen ar ei phen. 'Wedyn, ar ôl malu'r drychau 'na'n deilchion, cafodd yr ywen ei hiechyd yn ôl.' Trodd at y goeden i'w hedmygu.

Gwenodd Baltws. Roedd sbarc yn yr hen ddyn, meddyliodd, a châi neb gyffwrdd y goeden tra byddai o byw.

Daeth chwa arall o awel i droelli drwy'r hen ywen gan ysgwyd ei changhennau, ei brigau, ei phinnau a'i mwclis bach coch o aeron fel petai rhywun wedi tollti dŵr cynnes, braf i lawr ei boncyff ar ddiwrnod oer yn niwedd mis Hydref.

* * *

Tachwedd

Roedd hi'n oer, ond yn braf. Roedd Mabli wedi lapio'i chôt goch gynnes yn dynn amdani, ac roedd ei chap gwlân gwyn yn cadw'i gwallt rhag chwifio yn yr awel finiog. Cerddai fraich yn fraich â'i ffrind gorau tuag at res tai Trem yr Ywen o dan awyr las. Doedd ganddi 'mo'r bwriad lleiaf o fynd i mewn i rif 6 – dim eisiau cipolwg oedd hi ar y tŷ a fu ond y dim â chipio'i henaid oddi arni. Galw er mwyn cyfrif ei bendithion.

'Felly dwyt ti ddim yn cofio bod i mewn yna o gwbwl?' gofynnodd i Sera.

'Nac'dw. Cofio dim,' meddai honno gan ysgwyd ei phen.

Cymerodd Mabli gysur o hynny. Yna, stopiodd gerdded a chladdu ei hwyneb yn ei menig gwlân. Roedd euogrwydd yn ei bwyta'n fyw.

'Dwi 'di deud wrthat ti am stopio teimlo'n euog, rŵan stopia!' siarsiodd Sera.

'Fedra i ddim peidio â meddwl am be fasa wedi medru digwydd i ni i gyd tasa Baltws ddim wedi dod i helpu.' Cododd Mabli ei phen o'i dwylo. Roedd hi ar fin ymddiheuro eto fyth, pan welodd rywun yn sefyll reit o flaen yr ywen.

'Baltws!'

'W, helô!' meddai Sera. 'Ro'n i'n gobeithio'i weld o eto … dipyn o bishyn, tydi?'

Trodd Baltws at y ddwy.

'Dwi'n gadael,' meddai.

Sylweddolodd Mabli pam ei fod o'n sefyll o flaen yr ywen. Roedd o wir yn barod i adael. Chwalodd siom drosti. Gallai fod wedi rhoi mwy o rybudd iddi na hyn. Oedd o'n mynd i ffarwelio â hi o flaen Sera, ar ôl y cyfan a rannodd y ddau?

'Fyddi di'n dod yn ôl?'

'Bosib.' Gallai Baltws fod wedi egluro iddi y byddai o wrth ei fodd petai Mabli'n ymuno â fo i deithio pellteroedd maith fel y gallai'r ddau ohonyn nhw chwalu holl Ddrychyllau'r galaeth. Ond wnaeth o ddim. Gwell oedd ei chadw ar ei phlaned ei hun, lle byddai'n saff.

Cyn iddynt gael cyfle i ffarwelio, clywsant sŵn car yn agosáu. Symudodd y tri i wneud lle iddo basio, ond gwelsant fod y car yn arafu, ac yn paratoi i barcio yn yr encil ger y stryd. Wedi i'r injan ddiffodd, daeth dyn a dynes allan ohono, y ddau wedi'u gwisgo yn debyg i'w gilydd mewn jîns a chrysau siec. Tynnodd y dyn ei gap pig 'I Love NY' er mwyn astudio'r darn o bapur oedd yn ei law. Roedd golwg ddryslyd arno.

'Esgusodwc fi,' meddai wrthynt, 'cwec Trem rrr Iwen ydi'r tŷ hyn?'

Roedd ei acen yn ddieithr, a dyfalodd Mabli mai dysgwr oedd o.

'Ia,' atebodd, gan gamu tuag ato. 'Ia. Hwn ydi 6 Trem yr Ywen.'

Edrychodd y ddau ar ei gilydd, a gwenu. 'Diolc,' meddai'r dyn, ac aeth y ddau drwy'r giât ac at y drws ffrynt. Ar ôl gweld bod hwnnw'n gwrthod ildio, aethant rownd i'r cefn.

Crychodd Mabli ei thrwyn. 'Perchnogion newydd?'

'Dechrau newydd,' meddai Baltws.

'Ydyn nhw'n saff i mewn yna, deudwch?' holodd Sera'n betrus.

Wnaeth Mabli na Baltws ddim ymateb, dim ond edrych ar ei gilydd. Doedd wybod. A doedd o'n ddim o'u busnes nhw bellach. Roedd y Drychwll wedi'i ddryllio.

'Dyna pam mae angen ywen yn dy fywyd di, ti'n gweld,' meddai Baltws, 'cael gwared o'r hen er mwyn gwneud lle i'r newydd.'

'Felly ti'n mynd rŵan hefyd – er mwyn gwneud lle i'r newydd yn fy mywyd i,' meddai Mabli'n siomedig.

'Rwbath fel'na,' atebodd.

Dechreuodd Sera gerdded yn ara deg tuag at y tŷ, er mwyn rhoi cyfle i Mabli a Baltws gael ffarwelio.

'Sori am dy roi di drwy'r cwbwl, Mabli.' Roedd dwylo Baltws yn ei bocedi a chrafai'r cerrig mân o dan ei droed â'i sawdl.

'Diolch.'

'Diolch?'

'Diolch am roi'r fath ffydd yndda i.' Gwenodd arno.

Gafaelodd Baltws amdani. Doedd dim mwy i'w ddweud.

'Ddoi di'n ôl?'

'Bosib.' Bu ond y dim i Baltws ddweud wrthi am ei syniad, ond penderfynodd beidio. Gollyngodd hi, a neidio dros y wal i'r cae at ei borth. Trodd Baltws oddi wrthi am y tro olaf, gan osod ei hun ym moncyff yr ywen fythwyrdd.

'Hei, Baltws!' gwaeddodd Mabli ar ei ôl, wrth sychu deigryn oddi ar ei boch.

Trodd yntau i'w hwynebu. Gwelodd fod Mabli wedi tynnu'i chap i ddatgelu llond pen o gyrls coch, fel ei wallt yntau. Chwarddodd.

Daeth fflach ddwbl i lenwi'r gwagle o gwmpas Baltws, yna dau arall, eto ac eto. Ac fel cannwyll yn diffodd, diflannodd Baltws. Nid oedd ond bwlch yn y boncyff lle bu'n sefyll. Anadlodd Mabli'n ddwfn. Wyddai hi ddim a allai hi fyth lenwi'r gwagle ar ei ôl yn llwyr.

Roedd hi ar fin rhoi ei chap am ei phen pan glywodd lais Sera o'r tu ôl iddi.

'Wow! Be ddigwyddodd i chdi?'

Gwyddai Mabli mai am ei gwallt roedd hi'n sôn.

'Ffansi mynd yn ôl at fy ngwreiddia,' atebodd.

'Mae o'n dy siwtio di!' sylwodd Sera. 'Hei, i lle aeth *o*?'

Ddywedodd Mabli ddim am funud. Doedd ganddi ddim syniad o gwbwl i ble'r oedd Baltws wedi diflannu.

'Rwla'n bell i ffwrdd,' meddai'n dawel, o'r diwedd.

'O, bechod,' meddai Sera, heb lwyr ddeall y cwlwm a fu rhwng Mabli a'r dyn ifanc, golygus. 'Hei, wn i lle awn ni,' datganodd, gan afael ym mraich Mabli a'i harwain yn ôl i gyfeiriad y dref. 'Awn ni i nôl un o frownis Glenda Wyn bob un.'

'Glenda Wyn,' ategodd Mabli. 'Mae honna'n werth y byd.'